1900-2000
Un siglo
de España

Agencia EFE
Presidente-Director General:
Miguel Ángel Gozalo

EQUIPO DE TRABAJO:

Dirección:
Miguel Platón, Director de Información

Coordinación:
Concha Tejedor, Directora de Documentación

Documentación Gráfica:
Sol Valero de Bernabé, Redactora Jefe
María Ángeles Ruiz
Jaime Temprano

Infografía:
Leopoldo Fernández Ortega, Jefe de Sección
Pilar Aliaga
Camilo Amaro

Archivo Gráfico:
Paloma Puente, Rosa Abad, Ana Aragón, Juana
Benet, Amelia de Castro, Ana Coronado, Gerardo
Domínguez, Pilar Fernández, Julio Gutiérrez,
Milena Karag, Soraya Martín, Pilar Mata, Elena
Sánchez Lasso, Yolanda Vellido

Archivo de Prensa:
Carmen Maillo, Martín Abad, Javier Díaz, Ana
Martínez, Amalia Rodríguez, Isaac Pérez,
Fernando Sanz

Dirección Gráfica:
Joaquín Muller-Thyssen, Director
Manuel Barriopedro, Subdirector

Laboratorio:
Luis Lavín, José María Pastor, Nuria Artes, Daniel
Caballo, Gabriel Díaz, Gonzalo Fernández,
Fernando García, Carlos Gómez, José
M.ª González, Francisco Huesca, Antonio Huete,
Carlos Ibáñez, Daniel Lavín, Juan A. Lavín, Javier
Lizón, Juan José Martín, Emilio Naranjo, Pedro
Ortiz, Julio Pérez, Nazario Sierra

REALIZACIÓN, DISEÑO Y PRODUCCIÓN: JdeJ Editores

Editor:
Javier de Juan y Peñalosa

Preimpresión:
Safekat, S. L.
Maquetación:
María José López

Diseño portada:
María Rubio, Gráfica Futura

Impresión:
Gráficas AGA

4.ª edición: marzo 2002
© Agencia EFE, S. A.
ISBN: 84-89614-25-3
Depósito legal: M. 46182-2001

ÍNDICE

Así es, si así os parece

Si hay una fecha para recordar, a partir de ahora, es la del 11 de septiembre de 2001. El nuevo milenio ha arrancado con una tragedia de tal envergadura que no sólo marca un hito en la historia universal de la infamia, sino que necesitaremos todavía muchos años para digerirla del todo. Al ver en directo el brutal derribo de las «Torres Gemelas», ¿hemos visto nacer el siglo XII, como ha sugerido el escritor israelí Amos Oz? ¿Hacia dónde vamos en un mundo enloquecido?

A sólo unas semanas del terrorífico ataque a Nueva York y del luto que ha ensombrecido a todos los hombres que amamos la libertad, quizá no tenemos lo que Chu-En-Lai decía que le faltaba para analizar los efectos de la Revolución Francesa: perspectiva.

Pero tenemos imágenes. Y siempre nos queda la palabra, que es, en esta era audiovisual, el pie de foto de la fotografía de la historia.

Eso es este libro: la crónica de un siglo contado por la Agencia EFE, uno de los proyectos informativos más ambiciosos emprendidos por España en el campo de la comunicación, gracias a los excepcionales materiales gráficos de que constan sus archivos.

Antonio Machado nos dijo que «ni está el mañana ni el ayer escrito». Pero el ayer sí que está fotografiado. El ayer sí que es lo que era, y de ello da puntual referencia esta apasionante colección de imágenes. Victoria contra el olvido, la fotografía nos ayuda a escribir la historia.

Porque una fotografía no es más que eso: el tiempo detenido. El fotógrafo tiene alma de cazador y ve por el objetivo de su cámara —ahora digital, con todos los aportes de la técnica más avanzada a su servicio— lo que los demás no sabemos ver.

Ellos han captado para nosotros todo el siglo XX. Quizá nos falte la perspectiva suficiente para analizar este siglo que se ha ido, lleno de guerras y conflictos, pero que ha sido también exponente de un progreso indudable en el camino incierto del hombre sobre la tierra. Desde el 11 de septiembre, tenemos que volver a hacernos las preguntas de siempre. Pero para ayudar a entender nuestro pasado, el ayer ya escrito, está este álbum de nuestra vida, hecho por unos hombres que, como el mítico Robert Capa, creen que cuando una fotografía no sale bien es que el fotógrafo no estaba demasiado cerca.

La Agencia EFE sigue ese consejo y procura estar siempre todo lo cerca que puede de la vida que pasa. Para contarla, como en este libro, con fotografías que hacen la historia que nos une y nos da sentido.

Miguel Ángel Gozalo
Presidente Director General de la Agencia EFE

España anhelada

Una mezcla de espectáculo, promesa y expectativa acompañó el último latido de un siglo, que no ha sido el mejor posible pero que ha sido el nuestro. Y sobre todo que no ha sido el último, como en momentos de tragedia y desesperanza pudo parecernos. Marcar ahora la piel del siglo XX exige un ejercicio de optimismo, al que nadie puede renunciar cuando escribe en las fronteras del futuro. Pero ¿qué es la historia de un siglo? Un siglo son sus gentes, sus acontecimientos, sus iconos y sus gritos. Y en esta centuria el hombre ha pasado de venerar las ideas a sucumbir ante las imágenes y a dejarse seducir por lo inmediato. Un siglo hecho para el triunfo de la imagen, el cine, la televisión, la mejor foto, el político que mejor da en el cliché. La ciencia se hizo también visual y con ella las noticias de la historia. El gran juego de la imagen sustituía a la manipulación de la opinión que la prensa norteamericana había puesto en pie para justificar la guerra de 1898 contra España mientras la humanidad se acostumbraba al directo imaginario de los grandes acontecimientos y los máximos horrores, esa lágrima extraña que llamamos historia, el poeta García Montero dixit.

Todo siglo es hijo del anterior, con su equipaje de analogías y rechazos. Y el XX, en cierto modo, ha sido un parásito cultural de su antecesor pero, al mismo tiempo, ha tenido ocasión de exhibir su repudio freudiano hacia el padre. Siglo de mayorías y minorías, de nacionalismos y naciones, España desconocía la sociedad de masas antes del arranque de la centuria, de tal forma que su nacimiento asustó a los intelectuales y pensadores de la época. El filósofo Ortega y Gasset esperó hasta 1930 para dar su diagnóstico. Había motivos para sobresaltarse. La rebelión de las muchedumbres implicaba un rechazo de toda norma superior junto con el desprecio de la clase dirigente y de la misma inteligencia.

Las multitudes campesinas que se escaparon a las ciudades, los millones de desarrapados que cayeron sobre el jeroglífico urbano, las legiones de emigrantes en busca de la oficina o la fábrica, acabarían cambiando el rostro de España. La historia se empecinaba en descuidar la dolencia crónica de España, la de los montes pelados y calvarios, la de la tierra del agua seca que Blas de Otero lamentaba. Cuando llegue la pleamar del desarrollismo, los empresarios testarudos mantendrán su resistencia a invertir en el campo, donde los pueblos mueren, los cultivos se agrietan de soledad y las llanuras aparecen desolladas. Sin esperar más, otros campesinos hicieron sus maletas y corrieron lejos del sur al encuentro de la España industrial o la Europa de la promesa. Desde Galicia, desde su verdor hipotecado por el caciquismo y la resignación centenaria, también partió el tren de la esperanza. Con la llegada de nuevos pobladores, las ciudades bien diseñadas revientan por sus costuras mientras que las peor proyectadas crecen de forma caótica. Las que no pueden extenderse a lo ancho, lo hacen hacia arriba, construyendo rascacielos-colmena que no solucionan la soledad y, en cambio, empobrecen el territorio.

Si el siglo XX es el siglo de la sociedad de masas, también lo es el de las ideologías, porque las muchedumbres las necesitan para echar raices y aliviar su desarraigo. En aquella hora de alumbramiento de una nueva sociedad muchos españoles prefirieron la seguridad de las ideologías a la intemperie de los hechos y fue entonces cuando se toparon con el fascismo, que en uno de los acelerones esperpénticos de la modernidad cabalgaba por Europa. A su manera España inventó el suyo propio, aderezado de autoritarismo católico, miedo a la revolución proletaria y defensa de un orden sociocultural mediocre y ramplón. Sólo un grupo minoritario de intelectuales y políticos se atrevió a soñar con cambiar el rumbo de la historia, pero aquella ilusión se estrelló en el convoy republicano.

Ya el siglo XX va susurrante como un río, llevando su vieja ráfaga de ilusiones hacia el cementerio marino de la Historia. Después de tantos años de acecharnos y una guerra incivil hemos soñado todos los sueños de la modernidad y es difícil cerrar los ojos sin pensar que la palabra España ha quedado esculpida por la mano turbulenta de la centuria. El 98 se llevaba un relicario de glorias y héroes nacionales sin que los españoles, pese a la retórica, desprendiesen una lágrima; en Europa el fascismo cabalgaba frente a su ejército de sombras y en Madrid convivían por primera vez tres generaciones —los ensayistas del 98, los europeístas del 14 y los poetas del 27— con una conciencia clara de su función rectora en la vanguardia de la sociedad. Todo un mundo de imágenes en blanco y negro nos queda de aquel tiempo de entreguerras, antes de que las miradas de muerte del 36 parieran, después de tanta sangre, una España de cerrado y sacristía.

Durante cuarenta años Franco y su régimen fueron la autobiografía de España, el corolario vergonzante de su pasado y la secuela anacrónica de unas creencias y un ideario ampliamente compartidos entre sus habitantes. Por culpa del monopolio, muchos españoles crecieron convencidos de habitar una nación fracasada, cuyo nombre sólo se debía pronunciar con signos de arrepentimiento. Quizás sin saberlo recogían una tradición muy española de pesimismo histórico que arrancaba de las primeras derrotas de los tercios españoles en Rocroi y Las Dunas y chapoteaba luego en la patología del Desastre del 98.

Pero un dia España salió de los acantilados del franquismo para varar en las riberas de la libertad y el ejercicio democrático eliminó las últimas sombras de melancolía hispana, consagrando una nueva nacionalidad vivida con optimismo aunque sin abombar el pecho. Ya no son españoles los que no pueden ser otra cosa, sino los ciudadanos plenamente libres que se gozan de habitar una comunidad de cultura semejante y hablar un idioma hermoso reverdecido todos los días en las bocas de más de cuatrocientos millones de hablantes. Entre los que festejan a España no sólo hay mujeres y hombres chanel. Hay chandal y tacón, calcetín blanco y riñonera, cabellos cortos y largos, barbas sucias y cabezas rapadas, pendientes masculinos, patillas y greñas, camisetas del Che y Metallica, para los que la palabra España forma parte de su estructura emocional y reposa sobre un sentimiento nacido de los principios éticos del orden liberal y democrático.

La historia no da derechos, sólo ofrece esperanza. Hoy se reviste ésta del deseo de que la nación constitucional se imponga a la tribu y ninguna ideología sirva para reavivar los renglones más agotados e inhumanos del siglo XX. Los avances de la historia no se interrumpirán a condición de que la lógica de la razón se imponga a la lógica de la pasión y los profetas gesticulantes del asfalto no sean oídos cuando se empeñan en convencer al hombre aturdido de que el contrato con el intelecto debe ser reemplazado por la irracionalidad de la rabia y la promesa.

Fernando García de Cortázar

1900-2000

Un siglo
de España

1900-1910

Llega Alfonso XIII

1900 • La Ley de Accidentes de Trabajo, promovida par el Gobierno conservador de Francisco Silvela y en particular por el ministro de la Gobernación Eduardo Dato, prohíbe el trabajo de los niños con menos de 10 años, así como el de los menores de 14 en horario nocturno. Regulado el descanso anterior y posterior al parto de las mujeres trabajadoras. • Un convenio hispano francés establece los límites de las colonias españolas de Guinea Ecuatorial y Río de Oro (Sahara Occidental) • Creado el Ministerio de Instrucción Pública y Bellas Artes. El 55 por 100 de los españoles son analfabetos (66 por 100 las mujeres y 45,3 los hombres). Sólo la tercera parte de los niños entre 5 y 14 años están plenamente escolarizados. • La esperanza media de vida es de 34,76 años. La tasa de natalidad es de 33,8 por mil y la de mortalidad, de 28,3. La mortalidad infantil acaba durante el primer año con la vida de 186 de cada mil nacidos vivos. • La jornada laboral está situada entre 10 y 12 horas diarias. Reguladas las escuelas nocturnas y la enseñanza de adultos, obligatoria en todos los centros laborales con más de 150 trabajadores: los asistentes ven reducidas en una hora su jornada laboral. • Los afiliados al sindicato Unión General de Trabajadores (UGT) suman un total de 26.088 miembros. • Únicamente seis municipios (Barcelona, Madrid, Valencia, Sevilla, Málaga y Murcia) superan los 100.000 habitantes. • La tercera parte de los gastos del Estado son intereses de la Deuda, el 20 por 100 se destina a la Defensa, el 8 por 100 a pensiones y el 1,5 por 100 a Educación. Los principales ingresos son la contribución rústica y pecuaria (20 por 100), las Aduanas (18 por 100), los Monopolios (15 por 100) y los impuestos sobre Consumos (10 por 100). • La bolsa de Madrid, que negocia en su práctica totalidad efectos públicos, cierra el año con un índice (no ponderado) de 598,06, sobre base 100 en 1874, que constituye el máximo histórico de la serie tras crecer un 56,43 por 100 desde 1898. El volumen anual de la contratación es de 2.750 millones de pesetas y el número de empresas admitidas a cotización, 69.

1901 • Ante la convocatoria de elecciones se funda en Barcelona la Lliga Regionalista, primera expresión organizada del catalanismo político. • Graves desórdenes en protesta por el resultado de las elecciones generales, que gana el Partido Liberal y sitúan en la Presidencia del Consejo de Ministros, por octava vez, a Práxedes Mateo Sagasta. • La Lliga Regionalista y los republicanos de Alejandro Lerroux ganan las elecciones en Barcelona y dominan el Ayuntamiento y la Diputación provincial, respectivamente. Es la primera gran derrota política de los partidos *dinásticos,* Conservador y Liberal, pilares del sistema político de la Restauración y que se turnan en el Gobierno desde 1875. • La instalación en España de congregaciones religiosas expulsadas de Francia es motivo de acusada discusión política. • Los gastos del Estado equivalen al 9,7 por 100 de la renta nacional.

1902 • Alfonso XIII es proclamado Rey al cumplir los 16 años, con lo que finaliza la regencia de su madre, la Reina María Cristina de Habsburgo-Lorena. • Frustrado acuerdo con Francia sobre el reparto de zonas de influencia en Marruecos. • Por Real Decreto se establece la jornada laboral en un máximo de 11 horas diarias. Una Real Orden la fija en 8 horas para los trabajadores manuales del Ministerio de Hacienda. • El Estado, por medio del Ministerio de Instrucción Pública, asume el coste de la enseñanza primaria.

1903 • El conservador Antonio Maura preside su primer Gobierno. • Mueren Sagasta y el fundador del nacionalismo vasco, Sabino Arana, a los 77 y 38 años, respectivamente. • Fundado en Madrid el diario *ABC.* • Los partidos dinásticos pierden las elecciones en Bilbao, ganadas por los regionalistas. • El número de escuelas nocturnas asciende ya a 6.730. Creado el Instituto de Reformas Sociales. • Se establece por ley el descanso dominical.

1904 • Muere en París, a los 74 años, Isabel II. • Dimite Antonio Maura, en desacuerdo con el nombramiento por Alfonso XIII del General Polavieja como jefe del Estado Mayor. • Un convenio secreto hispano francés reparte Marruecos en dos zonas de influencia, con la franja norte reservada a España. • José Echegaray recibe el Premio Nobel de Literatura, compartido con el poeta provenzal Federico Mistral. • El volumen de la contratación en la Bolsa alcanza un máximo histórico de 4.375 millones de pesetas, que no será superado en los años previos a la Guerra Civil de 1936-39.

1905 • Una prolongada sequía agudiza la miseria y el hambre en el campo andaluz. • Jefes y oficiales de la guarnición de Barcelona, desobedeciendo las órdenes de las autoridades civiles y militares, destruyen las publicaciones catalanistas *Cu-Cut* y *La Veu de Catalunya,* después de que la primera hubiese ridiculizado al Ejército. El Capitán General de Cataluña, Delgado Zuleta (ausente de su destino), el de

Andalucía, Luque, y jefes y oficiales de otras partes de España se solidarizan con los autores de los atropellos. • La disminución de la deuda del Estado y la del Tesoro en poder del público y del Banco de España contrae la base monetaria y reduce de forma significativa la contratación en Bolsa: en 1915 llegará a ser casi diez veces menos que en 1904.

1906 • El Rey contrae matrimonio con la princesa británica Victoria Eugenia de Battenberg. Tras la ceremonia, una bomba lanzada contra la carroza real por un anarquista causa 20 muertos y 60 heridos. • El Gobierno liberal promueve una Real Orden que autoriza el matrimonio civil. • Aprobado un nuevo arancel que refuerza el proteccionismo económico iniciado en 1891. • La Ley de Jurisdicciones somete a la jurisdicción militar a quienes atenten de palabra o de obra contra la integridad de la Patria o el Ejército. • Después de treinta años de historia el Partido Liberal se rompe en varias facciones. • La Conferencia de Algeciras encomienda a España la administración de las ciudades marroquíes de Tetuán y Larache. • Santiago Ramón y Cajal recibe el Premio Nobel de Medicina, compartido con el italiano Camilo Golgi. • Dos mil ochocientos estudiosos de Francia, Italia y España asisten en Barcelona al I Congreso Internacional de la Lengua Catalana. • La Bolsa de Madrid supera el centenar de empresas admitidas a cotización.

1907 • Victoria del Partido Conservador en las elecciones generales, aunque en Cataluña la coalición Solidaridad Catalana logra un triunfo arrollador, con el 67 por 100 de los votos y 41 de los 44 escaños en juego. Comienza el Gobierno «largo» de Maura. • Los conservadores derogan el matrimonio civil. Aprobada una nueva Ley Electoral destinada a garantizar la pureza del sufragio. Creada la Junta para Ampliación de Estudios. • Constituida en Barcelona la asociación sindical Solidaridad Obrera, de tendencia anarquista. Nace el sindicalismo agrario católico, de carácter profesional. • Se agudiza la guerra civil en Marruecos. Primeros intentos para la explotación de las minas de hierro descubiertas al suroeste de Melilla. • Nace hemofílico, por transmisión materna, el primer hijo de los Reyes y heredero del Trono: el Príncipe de Asturias Don Alfonso. • Tropas españolas se unen a las francesas que desembarcan en Casablanca, tras el ataque mortal de nativos a los trabajadores europeos que amplían ese puerto marroquí, pero se abstienen de participar en las acciones militares que ejecutan los franceses. • Una compañía española (Minas del Rif) y otra francesa acuerdan con el Rogui (pretendiente) Bu Hamara —rebelde al Sultán de Marruecos, cuyo trono pretende sin éxito— la explotación de sendas minas de hierro y plomo situadas al sur de la ciudad española de Melilla, en territorio que domina dicho caudillo. (Nota: Las «Minas del Rif» no estaban en el Rif, alianza de cábilas situadas a unos cien kilómetros al oeste (en torno a Alhucemas), sino en Uixan, en la región de Quelaya).

1908 • Aprobado el Programa Naval propuesto por el Ministro de Marina, Almirante Ferrándiz, que en los dos siguientes decenios permitirá a España recuperar, con creces, la fuerza naval perdida en el Desastre de 1898. • El Gobierno crea el Instituto Nacional de Previsión, destinado a favorecer la creación de pensiones de retiro. • El Comandante General de Melilla, General Marina, advierte al Rogui sobre las violencias que sus fuerzas ejercen contra las cábilas rifeñas próximas al Peñón de Alhucemas, las cuales mantienen buenas relaciones con España. • Cabileños vecinos de las minas de hierro de Uixan asaltan las obras iniciadas para su explotación; medio centenar de españoles huyen y son protegidos en Zeluán por El Rogui. • Tras una serie de atentados terroristas el Gobierno suspende las garantías constitucionales en Barcelona y Gerona.

1909 • Se establece la enseñanza obligatoria para los niños de 6 a 12 años. • Fuerzas del Sultán de Marruecos, auxiliadas por las cábilas rifeñas atacadas el año anterior, derrotan al Rogui Bu Hamara. • Los cabileños de la región de Quelaya advierten a las autoridades de Melilla que hasta llegar a un nuevo acuerdo no deben continuar la explotación de las minas. A los pocos días de reanudar las obras del ferrocarril minero, un grupo de cabileños tirotea a los obreros, que lo construyen en las cercanías de Melilla, con el resultado de seis españoles muertos y uno herido. El Ejército sufre 229 muertos —entre ellos el General Guillermo Pintos— y 870 heridos al atacar las alturas desde las cuales se hostigan las obras del ferrocarril, en la zona conocida como El Barranco del Lobo. • Una protesta contra el embarque de reservistas hacia Marruecos, ligada a las anteriores protestas de la izquierda contra el Gobierno Maura, desencadena en Barcelona la «Semana trágica», con 130 muertos, 800 heridos y más de 60 edificios incendiados, 42 de ellos vinculados a la Iglesia. El Gobierno suspende garantías y utiliza al Ejército para sofocar la revuelta. El pedagogo libertario Francisco Ferrer Guardia es condenado a muerte por un consejo de guerra y fusilado como instigador de los desórdenes. • Duras críticas internacionales y nacionales contra Antonio Maura, que presenta la dimisión. • El sindicato UGT decide apoyar a los candidatos socialistas en las elecciones. Creada la Conjunción Republicano-Socialista. • Tras cuatro meses de campaña y al coste de 1.800 muertos, el Ejército ocupa el macizo del Monte Gurugú, que domina la ciudad de Melilla, y consigue la sumisión de las cábilas de la región de Quelaya. • Una Ley establece en 9 horas la jornada máxima para los mineros que trabajan en explotaciones subterráneas y en 9 horas y media para los restantes.

1910 • El Partido Liberal gana las elecciones y José Canalejas es nombrado Presidente del Consejo de Ministros. • Pablo Iglesias, fundador del PSOE y de la UGT, consigue ser el primer diputado socialista, gracias a la conjunción electoral pactada con los republicanos, que ganan a su vez 44 escaños. Escándalo parlamentario cuando Iglesias reclama el derribo del régimen y justifica el atentado personal para evitar un eventual regreso al poder de Antonio Maura. • Grandes manifestaciones anticlericales en Madrid y Barcelona. Una Ley de Asociaciones, apodada «del candado», prohíbe el libre establecimiento de nuevas congregaciones religiosas por un periodo de dos años. Suspendidas las relaciones con la Santa Sede. • Inaugurada en Madrid la Residencia de Estudiantes. • Por iniciativa de Solidaridad Obrera, un congreso celebrado en Barcelona funda el sindicato Confederación Nacional de Trabajadores (CNT), caracterizado por su tendencia revolucionaria.

San Sebastián, 1899.
Retrato de la reina regente María Cristina en la terraza del Palacio de Miramar

Mogarraz (Salamanca), año 1900. *Maestro rodeado de niños en la escuela del pueblo*

Mogarraz (Salamanca), año 1900. *Pequeñas mogarreñas en la escuela de la localidad acompañadas por la maestra*

Año 1901.
Práxedes Mateo Sagasta en el balneario de Santa Teresa

Retrato en traje de marinero
de Alfonso XIII al cumplir
su mayoría de edad

Madrid, 17-5-1902.
El rey Alfonso XIII pone la mano sobre el libro de los Evangelios, que sostiene el secretario del Congreso, duque de Rivona, y pronuncia la fórmula del juramento

Madrid, 31-5-1906.
Atentado contra Alfonso XIII en la calle Mayor, el día de su boda con la princesa Victoria Eugenia de Battenberg

Madrid, 31-5-1906.
Momento de la explosión de la bomba lanzada en la calle Mayor
por el anarquista Mateo Morral contra el rey Alfonso XIII el día de
su boda

Foto oficial de los Reyes Alfonso XIII y Victoria Eugenia, días después de su boda. (Foto: Franzen)

Madrid, 1907.
Los reyes de España
Alfonso XIII y Victoria
Eugenia presentan a su hijo
primogénito, el infante
Alfonso de Borbón y
Battenberg

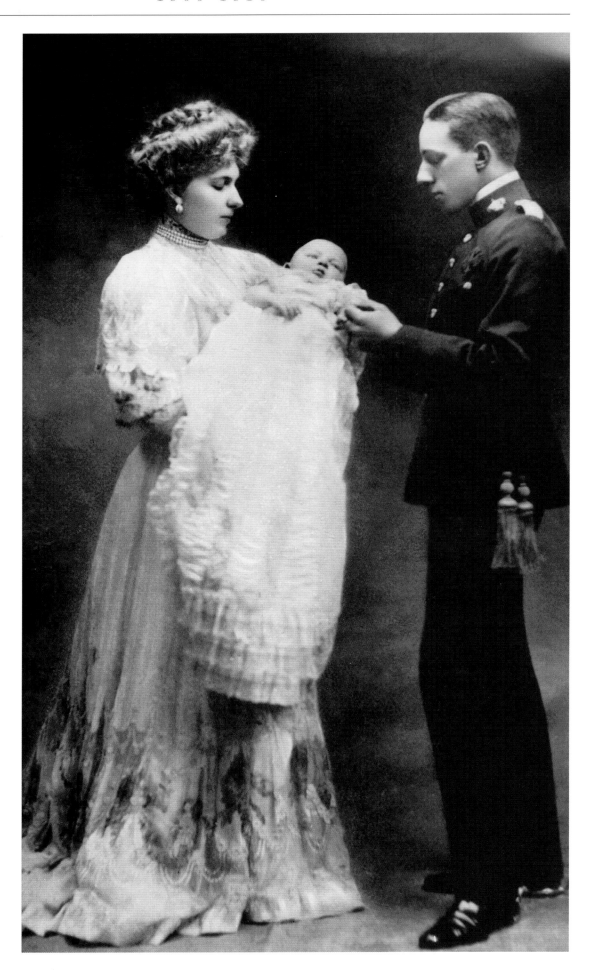

Pablo Iglesias Posse, fundador del PSOE y la UGT, en el cuarto de trabajo de su casa

1911-1920

Neutrales ante la Gran Guerra

1911 • El gobierno suspende las garantías constitucionales, prohíbe los sindicatos y decreta el estado de guerra para hacer frente a una serie de huelgas. La CNT es declarada ilegal, cuando disponía ya de 25.915 afiliados. • La Diputación de Barcelona, presidida por el catalanista Enrique Prat de la Riba, presenta al Gobierno un proyecto de Mancomunidad de Cataluña. • Fundado en Bilbao el sindicato Solidaridad de Obreros Vascos (SOV, más tarde ELA-STV), de carácter vasquista, católico y partidario de la armonía social. • Levantamientos de cabileños en la zona del río Kert son respondidos con una campaña militar que se prolonga hasta el año siguiente. El Gobierno ordena la ocupación de Larache y Alcazarquivir, en la costa noratlántica de Marruecos, tras el asesinato de una familia marroquí proespañola. España y Marruecos firman en París un tratado sobre delimitación y seguridad de sus territorios fronterizos. • El General Dámaso Berenguer funda en Melilla los Grupos de Regulares Indígenas: tropa profesional marroquí con la mayor parte de los mandos españoles. • Los españoles que saben leer y escribir superan ya la mitad de la población.

1912 • Un anarquista asesina en Madrid al Presidente José Canalejas. Otro político liberal, Álvaro de Figueroa y Torres, Conde de Romanones, nuevo jefe del Gobierno. • Un Tratado suscrito por España y Francia delimita las zonas de Protectorado que ambos países ejercerán en Marruecos; España obtiene una reducida franja al norte del país, con la excepción de la ciudad de Tánger y su entorno. • El Congreso aprueba el proyecto de Mancomunidades, que permite una descentralización parcial de las competencias del Estado. • La Ley de Cabildos Insulares establece una institución de gobierno con ese nombre en cada una de las siete principales islas de Canarias. • Melquiades Álvarez y Gumersindo de Azcárate fundan el Partido Republicano Reformista. • La UGT supera los 100.000 afiliados.

1913 • Los conservadores vuelven a formar Gobierno, con Eduardo Dato como Presidente del Consejo. Las diferencias entre Dato y Maura provocan una ruptura en el Partido Conservador, del cual se retira Maura. • Una disidencia del Partido Liberal, encabezada por Manuel García Prieto, se constituye en Partido Liberal Demócrata. • Tropas españolas comienzan la ocupación del territorio asignado en Marruecos, lo que produce frecuentes enfrentamientos con los caudillos locales opuestos a la autoridad del Sultán. Ocupada la ciudad de Tetuán, que será la capital del Protectorado. Creado el

Servicio de Aeronáutica Militar, que a finales de año comienza a efectuar operaciones de reconocimiento y bombardeo aéreo en Marruecos. Republicanos y socialistas rechazan las operaciones militares en el Norte de África. • Alfonso XIII firma el Decreto de Mancomunidades, que permite la agrupación de Diputaciones provinciales y solicita la delegación de servicios y facultades propias de la Administración Central. • Tras varios años de aumento progresivo de las tensiones laborales en la industria catalana, una gran huelga de trabajadores del sector textil eleva a 1.784.000 las jornadas perdidas este año en la provincia de Barcelona. El sindicato CNT vuelve a ser legalizado. • Se disuelve la Conjunción republicano-socialista. • Un Real Decreto establece la jornada laboral máxima en 10 horas.

1914 • El Partido Conservador gana las elecciones generales; acusado retroceso de los republicanos. • Constituida la Mancomunidad catalana; Prat de la Riba, elegido presidente. • El joven filósofo José Ortega y Gasset causa gran impacto en la opinión al reclamar un cambio radical de los asuntos públicos, en su conferencia *Vieja y nueva política*. • Fundada la Confederación Patronal Española, que agrupa a empresarios de Madrid, Barcelona, Zaragoza y Guipúzcoa. • España se declara neutral en la Guerra Europea. Los compromisos militares de Francia interrumpen la ocupación de las dos zonas del Protectorado marroquí. El joven rifeño Mohamed Abd-el-Krim, ejemplar funcionario en Melilla de la Oficina de Asuntos Indígenas y Juez de Jueces para los musulmanes de la zona, se manifiesta en su columna habitual del diario *El telegrama del Rif* a favor de los Imperios Centrales, aliados con la única potencia musulmana en guerra: el Imperio Otomano. • Tras varios años de superávit generalizado, las cuentas del Estado presentan un déficit equivalente al 9 por 100 de sus gastos, que tenderá al alza hasta 1921. • El índice de la Bolsa cae un 10 por 100, hasta 455,83.

1915 • Alfonso XIII emprende una amplia campaña humanitaria, destinada a paliar los horrores de la guerra. • La demanda de los países beligerantes, sobre todo del mercado francés, estimula un fuerte aumento de la actividad económica, en particular de la industria. La Bolsa crece durante todo el conflicto. • Dimite el presidente Dato, al no cubrir el mercado un empréstito de la Hacienda Pública. Los liberales vuelven al poder, con Romanones de presidente. • Una serie de iniciativas promovidas por eclesiásticos fomentan la participación organizada de los católicos en la vida pública, por medio de sindicatos y asociaciones. La Confederación

Nacional Católica Agraria (CONCA) engloba a unos 150.000 afiliados. • Predominio anarcosindicalista en la CNT. • Nace la revista *España,* dirigida por José Ortega y Gasset.

1916 • Después de varios decenios de estabilidad de los precios, la escasez causada por la guerra produce una creciente inflación. Los sindicatos CNT y UGT convocan una huelga general, seguida parcialmente. • Jefes y Oficiales de la guarnición de Barcelona promueven en toda España la constitución de juntas de Defensa, que protestan por los rápidos ascensos de los militares que combaten en Marruecos. • Aprobada la Ley que crea reservas naturales protegidas. • Agentes alemanes contactan en Melilla con Abd-el-Krim.

1917 • La crisis de las Juntas de Defensa hace caer al Gobierno liberal. El nuevo Gobierno conservador de Eduardo Dato reconoce a las Juntas. • Los precios han subido el 50 por 100 desde 1913. • La Mancomunidad de Cataluña adopta la revisión de normas ortográficas de la lengua catalana propuesta por Pompeu Fabra, en detrimento de la ortografía tradicional. • En protesta por la carestía de la vida, CNT y UGT convocan una huelga general revolucionaria, reprimida por la Guardia Civil y el Ejército con el resultado de un centenar de muertos, doscientos heridos y dos mil detenidos. Los miembros del Comité de Huelga, entre ellos los socialistas Francisco Largo Caballero y Julián Besteiro, sometidos a juicio sumarísimo y condenados a ocho años y un día de prisión. • Reunión en Barcelona de una Asamblea de Parlamentarios favorables a una reforma constitucional, con asistencia de 68 miembros de las Cámaras y considerada sediciosa por el Gobierno. • Fundada en Pamplona la Federación Nacional de Sindicatos Libres Católicos, con unos 10.000 afiliados y que es vista con recelo por la jerarquía eclesiástica, debido a su carácter de clase. • Las críticas de Abd-el-Krim a Francia son castigadas con varios meses en prisión y la suspensión temporal de sus cargos públicos. • El presidente de la Mancomunidad Catalana, Prat de la Riba, muere a los 47 años. Le sustituye José Puig y Cadafach.

1918 • Los precios suben el 45 por 100 en un año y superan en más del doble los que había antes de la guerra. Hambre generalizada en las zonas más pobres del país, sobre todo en Andalucía, donde se extienden las protestas. • El Rey encarga la formación de un Gobierno Nacional multipartidista al veterano líder conservador Antonio Maura, quien nombra Ministro de Fomento al dirigente catalanista Francisco Cambó. • Indultados los promotores de la huelga general del año anterior. • Covadonga (Asturias-León) y Ordesa (Huesca) se convierten en los primeros parques nacionales españoles. • Creado un Ministerio de Abastecimientos. • Las divisiones internas acaban con el Gobierno Nacional en poco más de siete meses. • Las Cortes rechazan por amplia mayoría el proyecto de Estatuto de Autonomía de Cataluña; Cambó protesta y se retira del Congreso con los demás diputados de la Lliga Regionalista. • Las «Irmandades da Fala» se reúnen en Lugo y sientan las bases del nacionalismo gallego. Un congreso andalucista reunido en Ronda (Málaga) establece la bandera, el himno y el escudo de Andalucía. • Una epidemia de gripe procedente de Asia y llegada a Europa desde Estados Unidos causa la muerte a 260.000 españoles, el 45 por 100 de ellos en el mes de octubre, con especial incidencia en la mitad norte, los menores de un año y las personas de edad comprendida entre los 25 y los 39 años. (Nota: en términos absolutos y relativos la mortalidad causada por esta epidemia fue la mayor del siglo, superior incluso a los años de la Guerra Civil, proporción que también se dio en el resto del mundo, con un total de 20 millones de muertos, que superaron a los fallecidos a causa de la Primera Guerra Mundial.) • El índice de la Bolsa alcanza un máximo histórico de 737,88.

1919 • Finalizada la guerra se estabilizan los precios, aunque no empezarán a descender hasta 1921. • Establecida la jornada laboral de ocho horas para todos los trabajadores y profesiones, aunque meses después quedarán excluidos los directivos, el servicio doméstico, la hostelería, los porteros de fincas urbanas con derecho a alojamiento y los obreros agrícolas en faenas de temporada. • Fundada en Madrid la Confederación Nacional de Sindicatos Católicos, con unos 60.000 afiliados. Nace en Barcelona el Sindicato Libre Regional, enfrentado a la CNT. • Se reanuda en Marruecos la ocupación del Protectorado, basada en la colaboración con Francia y la negociación con los dirigentes de las diversas *cábilas* (tribus). Mohamed Abd-el-Krim abandona sus cargos en Melilla y se instala en su cábila de origen (los Ait Uarriagal, del territorio montañoso del Rif), aún no ocupada por España. • El nacimiento de nuevos Estados en Europa estimula a los nacionalismos regionales. • Alfonso XIII inaugura la primera línea (Sol-Cuatro Caminos) del metro de Madrid, empresa de la que es accionista. • Rápido crecimiento de la CNT, que en un año pasa de 80.000 afiliados a 710.000. Aumento generalizado de las huelgas, que suponen la pérdida de 4 millones de jornadas de trabajo. • La agencia de noticias Fabra, fundada en 1867 y filial de la agencia francesa Havas, se constituye como sociedad española, aunque Havas mantiene el 90 por 100 de la propiedad. • El número de empresas admitidas a cotización en Bolsa desciende a 83.

1920 • Comienza una época de graves enfrentamientos entre las empresas y el sindicato anarcosindicalista, sobre todo en el área industrial de Barcelona: pistoleros de un sector de la CNT y del Sindicato Libre se enfrentan a tiros. Una ola de huelgas supone la pérdida de 18 millones de jornadas. La Confederación Nacional de Trabajadores es declarada ilegal. • Tras visitar Moscú por encargo de sus respectivas organizaciones, el cenetista Ángel Pestaña y el socialista Fernando de los Ríos desaconsejan la incorporación a la III Internacional fundada por Lenin, debido al carácter represivo y autoritario del régimen bolchevique. • El sindicato UGT supera los 200.000 afiliados, tras dos años de fuerte crecimiento. • Creado el Ministerio de Trabajo. • Quiebra el Banco de Barcelona. • El torero Joselito muere al sufrir una cogida en la plaza de Talavera de la Reina (Toledo). • Por iniciativa del Teniente Coronel Millán Astray, del Servicio de Estado Mayor, se funda en Ceuta la Legión, que a imitación de la Legión Extranjera francesa se nutre de voluntarios, tanto españoles como de otros países, y busca reducir la participación de los soldados de reemplazo en los combates. • En la zona oriental del Protectorado prosigue el avance, habitualmente pacífico, del dominio español sobre las diversas cábilas. • El índice la Bolsa de Madrid pierde casi un 12 por 100.

Madrid, 1912.
El presidente del Gobierno, José Canalejas,
junto al rey Alfonso XIII. (Foto: Rico de Estasen)

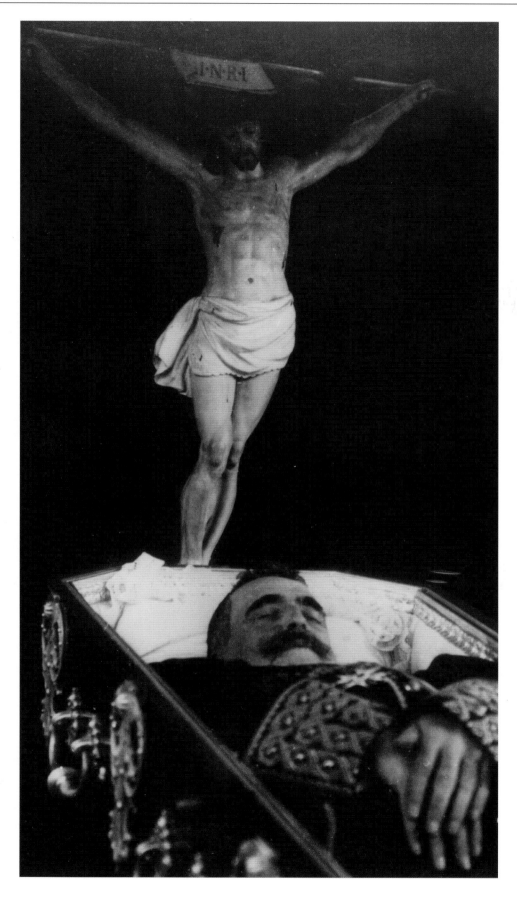

Madrid, 12-11-1912.
El cadáver de José Canalejas expuesto al público en la capilla
ardiente instalada en el Congreso de los Diputados. (Foto: Rico de Estasen)

Año 1914. *Bautizo del infante don Gonzalo. Alrededor de la madrina, la reina María Cristina y de la infanta doña Isabel, aparecen el rey Alfonso XIII y sus cuñados don Carlos y doña Luisa con los hijos de ambos (familias Borbón, Battenberg y Orleans)*

Madrid, 29-4-1917. *Antonio Maura durante un mitin celebrado en la plaza de toros*

Los hijos de los Reyes de España, Alfonso XIII y Victoria Eugenia, en la playa (de izda. a dcha.): Jaime, Beatriz, Alfonso (Príncipe de Asturias), Gonzalo, Juan y María Cristina. (Foto: Díaz Casariego)

Madrid. *La reina María Cristina, madre de Alfonso XIII, reparte
ropas a personas necesitadas en la iglesia de la Almudena*

La Familia Real sale a navegar desde un puerto del mar Cantábrico

Madrid, 17-10-1919. *El rey Alfonso XIII inaugura la primera línea del metro de Madrid, entre Sol y Cuatro Caminos*

1 9 2 1 - 1 9 3 0

Auge y caída de una Dictadura

1921 • El Gobierno establece el Seguro Obligatorio de Vejez e Invalidez (SOVI), embrión de la futura Seguridad Social. • Pistoleros anarquistas asesinan en Madrid al Presidente del Consejo de Ministros, el conservador Eduardo Dato. • Bajan los precios después de siete años: durante el decenio oscilarán entre un 60 y un 80 por 100 por encima de los existentes en 1913. • «Harkas» (milicias) rifeñas al mando de Mohamed Abd-el-Krim hostigan y derrotan al Ejército expedicionario español acampado en la meseta de Anual, junto a las primeras estribaciones del Rif. El Comandante General de Melilla, General Fernández Silvestre, muere en el combate. Levantamiento general de las cábilas de la zona oriental del Protectorado, con la única excepción de los Beni Chicar, vecinos de Melilla. Los ataques a la columna española en retirada culminan en el campamento de Monte Arruit con el sitio, rendición y matanza de muchos de los supervivientes. Conmoción en la sociedad española al conocerse la muerte de unos 9.000 soldados. La llegada masiva de refuerzos permite recuperar en pocos meses la mayor parte del territorio perdido. (Nota: en Arruit no existe monte alguno). • Una minoría socialista funda el Partido Comunista de España, «sección española de la III Internacional». • El déficit del Estado llega al 14,9 por 100 de sus gastos, el máximo anterior a la Guerra Civil.

1922 • Un decreto disuelve las Juntas de Defensa. • El General Picasso instruye un expediente sobre las responsabilidades militares y políticas que condujeron al *Desastre* de Anual. El General Dámaso Berenguer dimite como Alto Comisario en Marruecos. Abd-el-Krim proclama la República del Rif. • El último gabinete presidido por Antonio Maura aprueba, a instancias del ministro de Hacienda Cambó, un nuevo arancel de signo marcadamente proteccionista. • Sigue la inestabilidad de unos Gobiernos que duran pocos meses y prosiguen las fuertes tensiones sociales: entre 1918 y 1923 se producirán 1.493 atentados. Lucha feroz en Barcelona entre la CNT y el Sindicato Libre, que cuenta con casi 100.000 afiliados en Cataluña y al que respaldan las asociaciones patronales. • El 90 por 100 de los pueblos de España carece de alcantarillado, y el 80 por 100 de agua potable.

• El dramaturgo Jacinto Benavente, Premio Nobel de Literatura. • Fuerte reducción del déficit del Estado, que cae al 1,36 por 100 de sus gastos.

1923 • El empresario vizcaíno Horacio Echevarrieta paga algo más de cuatro millones de pesetas (unos 1.000 millones del año 2000) para rescatar a los 180 civiles y militares españoles —entre ellos el General Navarro, segundo de Fernández Silvestre— que desde 1921 eran prisioneros de Abd-el-Krim. • El Partido Liberal gana las elecciones generales. • Un pistolero vinculado al Sindicato Libre asesina en Barcelona a Salvador Seguí —*El Noi del Sucre*—, secretario general de la CNT y líder del ala moderada del sindicato. • Dos anarquistas matan a tiros al octogenario Arzobispo de Zaragoza, Cardenal Juan Soldevila. • Los sindicatos católicos libres vasco navarros y el Sindicato Libre catalán constituyen una Federación Nacional de Sindicatos Libres, que supera los 100.000 afiliados. • Una crisis bancaria, debida a la concentración de riesgos en la industria y la minería, provoca el cierre de siete bancos. • El General Miguel Primo de Rivera, Capitán General de Cataluña, proclama el estado de guerra y reclama el cese del Gobierno liberal presidido por Manuel García Prieto. Alfonso XIII encomienda la formación de Gobierno a Primo de Rivera, quien nombra un Directorio Militar. • Primo de Rivera suspende las garantías constitucionales, sustituye a los gobernadores civiles por militares y establece el Somatén (voluntarios civiles armados que colaboran en el mantenimiento del orden público). • El nuevo régimen prohíbe el uso en actos públicos del idioma catalán y de la bandera de Cataluña. • Una vez cumplido el plazo legal de dos meses desde el cambio de Gobierno, el Rey no acepta firmar la convocatoria de elecciones generales que le presentan los presidentes del Congreso y el Senado, con lo que vulnera la Constitución de 1876. • Juan de la Cierva prueba con éxito el autogiro. • Destituidos todos los concejales. Los ayuntamientos son gobernados por alcaldes que nombra la autoridad gubernativa. • Por vez primera la contratación de efectos públicos (49,07 por 100) queda por debajo de la suma de acciones (39,75) y obligaciones (11,18). • Las cuentas del Estado arrojan un superávit del 1,87 por 100, el primero desde 1913.

1924 • Un Real Decreto disuelve todas las diputaciones provinciales, excepto las de Álava, Guipúzcoa, Navarra y Vizcaya. • Clausurado el Ateneo de Madrid. • La Unión Patriótica, promovida por el General Primo de Rivera, único partido autorizado. • El sindicato CNT es puesto fuera de la Ley. • El Consejo Supremo de Guerra y Marina, presidido por el General Weyler, condena con la separación del Ejército al General Dámaso Berenguer, ex Alto Comisario en Marruecos, por su responsabilidad en el *Desastre* de Anual, pero absuelve al General Navarro. El Rey firma una amnistía que beneficia a todos los responsables del *Desastre*, lo que permite la reincorporación de Berenguer al Ejército. • Primo de Rivera asume personalmente la dirección de las operaciones en Marruecos. • Se refuerza la vinculación entre el sindicato UGT y el PSOE. • María Pérez Moya, una maestra de 40 años, se convierte en la primera alcaldesa de España, al ser nombrada por el delegado gubernativo para regir el municipio de Cuatredondeta (Alicante). • Comienzan en Barcelona las primeras emisiones comerciales de radio. • Aprobado por Real Decreto-Ley un Estatuto Municipal. Reconocido el derecho de voto, para las elecciones municipales, a las mujeres solteras, viudas y casadas sin tutela marital. Rebajada de 25 a 23 años la edad para ejercer el derecho al voto. • Nace la Compañía Telefónica Nacional de España, filial de la norteamericana ITT. • Un Real Decreto otorga la nacionalidad española a los judíos sefarditas —descendientes de los expulsados por los Reyes Católicos en 1492— que lo soliciten. En los años siguientes se acogen a esta oferta cerca de cinco mil, muchos de ellos residentes en países de Europa Oriental.

1925 • Tras prohibir la enseñanza de la lengua catalana, la publicidad y los rótulos callejeros en ese idioma, Primo de Rivera suprime la Mancomunidad de Cataluña. Clausuradas las sedes del Partido Nacionalista Vasco, así como su periódico *Aberri*. • El Directorio Militar levanta el estado de guerra. • Alianza militar entre España y Francia en Marruecos, tras unos ataques de rifeños en la zona francesa del Protectorado. Un desembarco en Alhucemas permite ocupar la aldea de Abd-el-Krim, Axdir, y comienza la sumisión de las cábilas del Rif. • Un Directorio Civil sustituye al Directorio Militar, aunque Primo de Rivera continúa como presidente. • La joven abogada Victoria Kent es la primera mujer española que actúa en un juicio. • Tanto el parque automovilístico como el de teléfonos superan las 100.000 unidades. • Aprobado un Estatuto Provincial de carácter descentralizador, aunque al igual que el Municipal nunca será aplicado por no convocarse las oportunas elecciones. • Mueren Antonio Maura y Pablo Iglesias.

1926 • Abd-el-Krim se entrega a los franceses. • Francisco Franco, uno de los más destacados militares que han actuado en Marruecos, es ascendido a General con 33 años. • Grave enfrentamiento entre el Directorio y el Arma de Artillería. Golpe frustrado contra Primo de Rivera. • Creadas por Real Decreto las Confederaciones Hidrográficas. • El secretario general del sindicato socialista UGT, Francisco Largo Caballero, acepta el cargo de vocal de la Organización Corporativa Nacional, creada por el ministro de Trabajo Eduardo Aunós. UGT copa la mayoría de la representación obrera en los comités paritarios y aumenta su afiliación, frente a una CNT proscrita. • Alfonso XIII inaugura en Madrid el servicio telefónico automático. • Detenido en el Pirineo francés el ex coronel y ex diputado Francisco Maciá, que al frente de un centenar de españoles y una veintena de italianos preparaba una insurrección armada en Cataluña. • El hidroavión *Plus Ultra* (un Dornier *Wal* pilotado por el comandante Ramón Franco) cruza el Atlántico Sur y culmina el viaje entre Palos de Moguer (Huelva) y Buenos Aires. • Un plebiscito que convoca a la participación de hombres y mujeres mayores de 18 años reúne las firmas del 57 por 100 del censo a favor de la constitución de una Asamblea Corporativa, pero el procedimiento es tachado de irregular por la oposición a la Dictadura. • España abandona la Sociedad de Naciones. • Un tranvía atropella y mata en Barcelona al arquitecto Antonio Gaudí.

1927 • Primo de Rivera suma a la Presidencia del Directorio la cartera de Estado. • El General Francisco Franco es nombrado director de la refundada Academia General Militar, establecida en Zaragoza y que comienza así su Segunda Época. • El Gobierno crea la Compañía Arrendataria del Monopolio de Petróleos (CAMPSA), lo que enturbia las relaciones con la empresa norteamericana Standard Oil. La Dictadura neutraliza la hostilidad de esta empresa con la importación de petróleo de la URSS. • Un Decreto-Ley sustituye al Congreso de los Diputados (clausurado desde 1923) por una Asamblea Nacional Consultiva de carácter corporativo. Quince mujeres toman asiento, por vez primera, en los escaños parlamentarios. • Por iniciativa de Primo de Rivera, cinco bancos españoles (Bilbao, Central, Hispano-Americano, Urquijo y Vizcaya) aportan 750.000 pesetas para comprar el 90 por 100 de la agencia Fabra, que seguirá manteniendo una estrecha relación con Havas. • Autorizado por las direcciones del PSOE y la UGT, Francisco Largo Caballero acepta el nombramiento de consejero de Estado. • Un homenaje a Góngora constituye el nacimiento, en Sevilla, de la generación poética del 27. Acuden, entre otros, Federico García Lorca, Rafael Alberti, Dámaso Alonso y Gerardo Diego. • La provincia de Canarias, con capital en Santa Cruz de Tenerife, queda dividida en las dos actuales, con capitales respectivas en Santa Cruz y Las Palmas de Gran Canaria. • Finaliza la pacificación de Marruecos: durante los quince últimos meses de la campaña le fueron capturados al enemigo 42.000 fusiles, 236 ametralladoras, 130 cañones, 8 morteros y abundante munición. • La peseta alcanza casi la paridad oficial con el oro. • Fuerte impulso a las obras públicas, sobre todo las hidráulicas y las vías de comunicación. • Fundada en Valencia la Federación Anarquista Ibérica, FAI, que promueve el uso de la violencia y tiene como objetivo secreto el control del sindicato CNT. • Constituida la Federación Universitaria Escolar, de tendencia izquierdista y hostil a la Dictadura. • Las cuentas del Estado vuelven a presentar un importante déficit, equivalente al 10 por 100 de sus gastos. • La Bolsa sube un 31,26 por 100 en un año y alcanza el índice 903,88. La renta variable (acciones) —con un 55,21 por 100 de los valores contratados— supera por vez primera a la renta fija (efectos públicos y obligaciones) y se mantendrá así hasta 1931.

1928 • Un Real Decreto crea el Patronato Nacional de Turismo. Inaugurado en la Sierra de Gredos el primer Parador. • El XII Congreso del PSOE rechaza, por mayoría, los seis puestos que Primo de Rivera ha ofrecido al sindicato UGT en la Asamblea Nacional Consultiva. El mismo Congreso aprueba la continuidad de Largo Caballero en la Organización Corporativa Nacional y el Consejo de Estado. • Se funda CLASSA (Compañía de Líneas Aéreas Subvencionadas), que se transformará en 1931 en LAPE (Líneas Aéreas Postales Españolas) y en 1939 en *Iberia*, Líneas Aéreas Españolas. • Una reforma del Código Penal suprime la pena de prisión perpetua. • Un joven sacerdote aragonés de 26 años, Jose María Escrivá de Balaguer, funda en Madrid el *Opus Dei*, asociación católica de laicos que en los decenios siguientes se extenderá por todo el mundo, será reconocida por el papa Pío XII como Instituto Secular y por Juan Pablo II como Prelatura Personal. • Creciente hostilidad del mundo intelectual y universitario contra la Dictadura, agudizada en el segundo caso tras el reconocimiento oficial de los títulos expedidos por la Universidad de los Jesuitas de Deusto y el Colegio Universario de los Agustinos en San Lorenzo del Escorial. • El déficit público equivale al 4,4 por 100 de los gastos del Estado. • La Bolsa sube un 15 por 100 y alcanza el máximo índice anterior a la Guerra Civil: 1.039,99. El volumen de contratación se ha multiplicado casi por cuatro en tres años y alcanza los 3.615 millones de pesetas.

1929 • Levantamiento fallido de unidades de Artillería contra Primo de Rivera, encabezado por el político conservador José Sánchez Guerra, ex Presidente del Consejo de Ministros. • Muere la Reina María Cristina, madre de Alfonso XIII. • Cerradas varias universidades tras una serie de revueltas estudiantiles. • Fracasa la Asamblea Nacional Corporativa, al presentar un proyecto de Constitución que rechaza la oposición, no gusta a Primo de Rivera y no acepta el Rey. • Gran éxito de la Exposición Internacional de Barcelona y de la Iberoamericana de

Sevilla, cuyos gastos suponen un aumento del déficit público, hasta el 5,07 por 100 de los gastos del Estado. • El PSOE y la UGT rompen con la Dictadura. • El club de fútbol Barcelona gana el primer título de Liga, con dos puntos de ventaja sobre el Real Madrid. • La peseta se deprecia más del 20 por 100 en año y medio. • Impacto moderado del *crac* de la Bolsa de Nueva York: la de Madrid cae al índice 976,72, con pérdida del 9,4 por 100, a pesar de que las acciones y obligaciones constituyen ya el 76,47 por 100 de la contratación. • Los españoles que saben leer y escribir superan las dos terceras partes de la población.

1930 • José Calvo Sotelo dimite como ministro de Hacienda, ante unas críticas de Primo de Rivera a su política económica. • Tras el escándalo causado por una petición expresa de apoyo a los Capitanes Generales, el General Primo de Rivera dimite y muere en París a las pocas semanas. • Alfonso XIII nombra jefe de Gobierno al jefe de su Casa Militar, el General Dámaso Berenguer, que anuncia el restablecimiento de la Constitución de 1876 y nombra como ministros a independientes y políticos veteranos de los partidos Liberal y Conservador. • Restablecidas parcialmente las libertades públicas. Legalizada la CNT. • Varios políticos de los antiguos partidos *dinásticos*, entre ellos el ex jefe de Gobierno José Sánchez Guerra y el ex ministro Niceto Alcalá Zamora, anuncian su abandono de la Monarquía en favor de la República. • Durante una reunión celebrada en San Sebastián, republicanos, socialistas y catalanistas pactan la constitución de un Comité Revolucionario, con el objetivo de hacerse con el poder. El sindicato UGT se une a la conspiración republicana. • Una meteorología desfavorable, que reduce en un 23 por 100 la producción agraria, y el impacto de la crisis internacional posterior al «crac» de la Bolsa de Nueva York, colocan a la economía española en recesión, con una caída del 5 por 100 de la renta *per capita*. • La política de austeridad del Gobierno Berenguer, impulsada por el ministro Argüelles, reduce los gastos del Estado en un 9,4 por 100 y consigue un superávit del 0,76 por 100. • Fracasa una sublevación militar republicana en Jaca (Huesca) y Cuatro Vientos (Madrid). Fusilados en Huesca los capitanes Galán y García Hernández, promotores de la rebelión de la guarnición de Jaca. Detenidos, escondidos o exiliados los miembros del Comité Revolucionario. Huyen a Portugal el jefe del Comité Militar republicano, General Gonzalo Queipo de Llano, y el aviador Ramón Franco. • La tasa de escolarización alcanza el 53,3 por 100. La esperanza media de vida es de 50 años. • Los gastos de Defensa representan el 22,6 por 100 de los Presupuestos del Estado, seguidos por los intereses de la Deuda (21,4); la Educación se lleva el 5,2 por 100 y las Pensiones el 5,1. La mayor partida de los ingresos la constituyen los monopolios (23,5 por 100), las Aduanas (15,7), los impuestos sobre Tráfico (9) y la contribución rústica y pecuaria (5,7).

La reina Victoria Eugenia, acompañada por la reina María Cristina, el infante don Juan y Alfonso de Orleans, primo de Alfonso XIII (izda.), en un acto oficial

Guerra de África. 10-10-1921.
Ocupación del monte Gurugú. Los corresponsales de guerra colocan la bandera de España en el pico Kol-La.
(Foto: Lázaro)

Guerra de África, octubre de 1921.
El jefe de la Primera Bandera del Tercio, comandante Franco, da órdenes a sus capitanes para lanzar las tropas al asalto de Ras Medua

Guerra de África, enero de 1923.
Horacio Echevarrieta con Abd-El-Krim, durante las negociaciones para el rescate de los prisioneros.

El anarquista Luis Nicolau, uno de los tres asesinos de Eduardo Dato, detenido por la guardia civil. Dato fue asesinado el 8 de marzo de 1921 en la plaza de la Independencia, de Madrid, por tres anarquistas, que dispararon contra él desde una moto con sidecar cuando se dirigía en coche a su casa, situada en el numero 4 de la calle de Lagasca. Nicolau fue detenido en Berlín en febrero de 1922, desde donde fue extraditado a España

Retrato del rey don Alfonso XIII

Madrid, mayo de 1921.
El rey Alfonso XIII juega al ajedrez con Manuel Golmayo en el Casino de Madrid

La reina Victoria Eugenia con sus hijos. De izquierda a derecha: La infanta doña Cristina, el Príncipe de Asturias, don Alfonso, la Reina, el infante don Jaime y la infanta doña Beatriz. En la primera fila, los infantes don Gonzalo y don Juan. (Foto: archivo Díaz Casariego)

Madrid, 15-9-1923.
El rey Alfonso XIII y Miguel Primo de Rivera posan junto a los miembros de Directorio Militar provisional: Federico Berenguer (n.º 5), José Cavalcanti (n.º 3), Leopoldo Saro (n.º 6), Antonio Dabán Vallejo (n.º 7); y miembros del Segundo Directorio (17 de septiembre - 3 de diciembre 1925): Antonio Mayandía (n.º 4), marqués de Magaz (nº 8), Luis Navarro (n.º 9), Luis Hermosa (n.º 10), Francisco Ruiz del Portal (n.º 11), Alfonso Vallespinosa (n.º 12), Francisco Gómez Jordana (n.º 13) y Mario Muslera (n.º 14)

Madrid, 9-12-1925.
*El cadáver de Pablo Iglesias expuesto
al público en el salón de actos de la Casa
del Pueblo*

Marruecos, 1925.
*El general Primo de Rivera y el Alto Comisario en Marruecos, general Sanjurjo, pasan revista a las tropas una vez completadas
las operaciones de Alhucemas*

Madrid, 1926.
El rey Alfonso XIII condecora a los aviadores del Plus Ultra, Ramón Franco, Ruiz de Alda, Durán y Pablo Rada

Recife (Brasil), 1-2-1926.
Llegada del hidroavión «Plus Ultra» al puerto de Recife.
(Foto: José A. Romero)

Madrid, 1926.
Francisco Franco con uniforme de general.
(Foto: Vidal)

Marruecos, 1927.
Los generales Primo de Rivera y Luis Aizpuru con altos dignatarios marroquíes

Madrid, Palacio Real.
La reina Victoria Eugenia y las infantas Cristina y Beatriz entregan canastillas a familias necesitadas. Asiste al acto el obispo Eijo Garay

Sevilla, 9-5-1929.
Los reyes Alfonso XIII y Victoria Eugenia inauguran la Exposición Iberoamericana de Sevilla

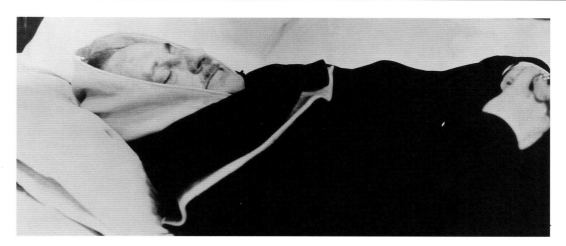

Cadáver de Miguel Primo de Rivera, amortajado con el hábito de la orden carmelita. Falleció en París el 16 de marzo de 1930, donde vivía exiliado desde la pérdida de confianza del Rey y su subsiguiente dimisión, el 28 de enero de 1930

Sevilla, 19-4-1930.
Los reyes de España, Alfonso XIII y Victoria Eugenia, acompañados de sus hijas, las infantas María Cristina y Beatriz, pasean por la ciudad durante las festividades de Semana Santa

1931-1940

Hijos de Caín

1931 • Se agudiza el impacto de la crisis económica. • La Agrupación al Servicio de la República, encabezada por el filósofo José Ortega y Gasset, el doctor Gregorio Marañón y el escritor Ramón Pérez de Ayala, simboliza el rechazo de gran parte del mundo intelectual a la Monarquía. • El General Berenguer dimite ante las reticencias de numerosos políticos *dinásticos* a la celebración inmediata de elecciones generales. • Alfonso XIII nombra Presidente del Consejo al Almirante Juan Bautista Aznar, al frente de un Gobierno de liberales, conservadores, independientes y un catalanista. • Un consejo de guerra condena a penas simbólicas a los miembros del Comité Revolucionario republicano, los cuales salen en libertad. • Fundado el partido Esquerra Republicana de Cataluña. • Los candidatos republicanos obtienen una amplia victoria en las grandes ciudades, en unas elecciones municipales que son las primeras que se celebran en el país desde 1923. Sobre 1.724 concejales electos en las capitales de provincia, los republicanos consiguen 772, los socialistas 290 y los monárquicos, 467. • Ante la reclamación del poder por los republicanos y el desconcierto del Gobierno, Alfonso XIII decide exiliarse y se instala en París con el resto de la Familia Real. Se constituye un Gobierno Provisional republicano-socialista, presidido por el ex ministro de la Monarquía Niceto Alcalá Zamora. Las instituciones del Estado acatan al Gobierno Provisional. • El nuevo régimen cambia la franja roja inferior de la bandera por una morada, que evoca el pendón de Castilla y marca distancias con la Monarquía; el Himno de Riego sustituye asimismo a la Marcha Granadera, o Marcha Real. • El Gobierno Provisional pacta con Francisco Maciá, líder de Esquerra Republicana de Cataluña, el establecimiento de un Gobierno catalán provisional: la *Generalidad.* • La Iglesia anuncia su neutralidad ante el cambio de régimen. • Victoria Kent, directora general de Prisiones, es la primera mujer que ocupa un alto cargo en la Administración pública. • Reformas militares del Ministro de la Guerra Manuel Azaña, que suponen el retiro anticipado de unos 6.000 mandos y el cierre de la Academia General Militar. • Grupos anárquicos incendian numerosos edificios religiosos en Madrid y otras ciudades españolas, ante la pasividad inicial de las nuevas autoridades. • El Gobierno expulsa al Arzobispo de Toledo, Cardenal Pedro Segura, y al Obispo de Vitoria, Mateo Múgica, a quienes acusa de ejercer una actividad política hostil al nuevo régimen. • Los partidos republicanos y el Socialista ganan las elecciones a Cortes Constituyentes. Los partidos más votados son el PSOE (114 diputados) y el Republicano Radical, que preside Alejandro Lerroux (89), en una cámara de 470 escaños. El catedrático socialista Julián Besteiro, elegido Presidente de las Cortes.

• Un Decreto establece la jornada laboral de 8 horas en la agricultura. • La Familia Real traslada su residencia a un hotel de Fontainebleau (Francia). • Alcalá Zamora dimite por las limitaciones a la enseñanza religiosa. Manuel Azaña, nuevo Presidente del Consejo de Ministros. • Aprobada una Ley de Defensa de la República que concede al Gobierno la facultad de restringir derechos fundamentales. • Las Cortes Constituyentes condenan a Alfonso XIII y aprueban una nueva Constitución, con el voto afirmativo de 368 diputados. Reconocido el derecho de voto a las mujeres y establecida la separación entre la Iglesia y el Estado. Niceto Alcalá Zamora, elegido por amplia mayoría (410 votos) primer Presidente de la II República. • La CNT suma 548.310 afiliados, de ellos el 54,7 por 100 en Cataluña. • La Bolsa padece la caída más fuerte de su historia, hasta el índice 641,07, con pérdida del 32 por 100. El volumen de contratación se reduce a menos de la mitad y pierde terreno el sector privado, en favor de los efectos públicos. Las empresas admitidas a cotización son 184, máximo histórico (con 1935) antes de la Guerra Civil.

1932 • El Gobierno reprime con dureza las revueltas anarquistas. • Disolución de la Compañía de Jesús, con expulsión de sus miembros y confiscación de sus bienes. • Un nuevo cuerpo policial, la Guardia de Asalto, sustituye a la antigua Seguridad y a la Guardia Civil en las ciudades. • Aprobado el Estatuto de Cataluña. • Rebelión fallida del General José Sanjurjo, que es condenado a pena de muerte e indultado por el Gobierno. Una represión severa e indiscriminada contra los supuestos responsables radicaliza a los sectores de oposición. • Acusado desencanto de muchos intelectuales que habían apoyado a la República, entre ellos Ortega y Marañón. • Aprobada una Ley de Reforma Agraria que se propone ofrecer tierras a más de 60.000 campesinos por año. • Abolida la pena de muerte en el Código Penal. • Esquerra Republicana gana las primeras elecciones al Parlamento catalán. • La economía española toca fondo, tras perder un 12 por 100 de la renta *per capita* existente en 1929. • La importación de trigo por encima de la demanda del mercado baja su precio y empobrece a numerosos labradores, sobre todo en la meseta norte. • Entra en vigor la Ley del Divorcio. • El sindicato UGT alcanza 1.041.539 afiliados, de los cuales el 42,8 por 100 trabajan en la agricultura y la mayor parte de éstos en Andalucía. • Las cuentas del Estado vuelven a presentar un déficit significativo, equivalente al 5,36 por 100 de los gastos. La renta fija vuelve a superar en la Bolsa a la variable.

1933 • El Gobierno de centroizquierda, desacreditado por la matanza que efectúa la Guardia de Asalto en Casas Viejas (Cádiz), tras sofocar una revuelta anarquista.

• Los monárquicos alfonsinos constituyen el partido Renovación Española, que establece una alianza con los Tradicionalistas. • Fundada la Confederación Española de Derechas Autónomas (CEDA), liderada por el joven abogado José María Gil Robles, presidente del partido procatólico Acción Popular. • Los conflictos laborales alcanzan el punto máximo del periodo republicano, con 14,44 millones de jornadas perdidas. • El Príncipe de Asturias contrae matrimonio en Lausana (Suiza) con la joven cubana Edelmira Sampedro, contra la voluntad del Rey, y tanto él como el Infante don Jaime (sordomudo) renuncian a sus derechos dinásticos. El Infante don Juan se convierte en heredero de Alfonso XIII. • Grave inestabilidad del Gobierno, que pierde apoyos y sufre cuatro crisis en poco más de seis meses. • Derrota gubernamental en las elecciones municipales y las del Tribunal de Garantías. • Manuel Azaña dimite; le suceden Alejandro Lerroux y Diego Martínez Barrio. El presidente Alcalá Zamora disuelve las Cortes y convoca elecciones. • El joven abogado José Antonio Primo de Rivera, hijo mayor del antiguo dictador, funda el partido Falange Española, de carácter nacionalista y autoritario. • Amplio triunfo del centro y la derecha en las elecciones generales. La CEDA consigue el mayor número de diputados (115), seguida por el Partido Republicano Radical (100) y el Socialista (59). Los monárquicos de Renovación Española logran 38 escaños. • Alejandro Lerroux, líder del Partido Republicano Radical, nuevo jefe del Gobierno. • Muere Macià. El abogado Lluis Companys le sucede en la presidencia de la Generalidad de Cataluña. • El sindicato UGT alcanza a finales de año la cifra de 1.181.233 afiliados. Declive de los sindicatos católicos, que sólo encuadran al 0,5 por 100 de los obreros. • El déficit del Estado alcanza el 8,38 por 100.

1934 • Leve recuperación económica, que continuará el año siguiente. • Restablecida la pena de muerte para los delitos cometidos por medio de explosivos. • Falange Española se fusiona con las Juntas de Ofensiva Nacional Sindicalista (JONS), lideradas por el joven vallisoletano Onésimo Redondo. • Monárquicos *alfonsinos* y tradicionalistas acuden en secreto a Roma para solicitar al dictador fascista Benito Mussolini armas con las cuales derribar la República en España. • El Coronel Oswaldo Capaz, en aplicación del Tratado de Paz suscrito con Marruecos en 1860 y con autorización del Gobierno francés, toma posesión del territorio costero de Ifni, con una extensión de algo menos de 2.000 kilómetros cuadrados; la zona es la imaginaria ubicación de la supuesta antigua pesquería española de Santa Cruz de Mar Pequeña. (Nota: la naturaleza de la costa hacía imposible pescar en Ifni; la factoría del siglo XVI, situada probablemente cerca de Agadir, se dedicaba en realidad al comercio y al tráfico de esclavos). • Aprobada una Ley de Amnistía, que al ser aplicada al General Sanjurjo produce la dimisión de Alejandro Lerroux. • Radicalización progresiva de la política española, con enfrentamientos armados entre los sectores más extremistas. • Pacto secreto entre Alfonso XIII y la CEDA. Los monárquicos financian a Falange. • La falta de recursos limita a 12.260 las familias campesinas asentadas en los dos primeros años de aplicación de la reforma agraria. • Escisión minoritaria en el Partido Republicano Radical, encabezada por Diego Martínez Barrio y contraria a la alianza con la derecha. • El Tribunal de Garantías admite, por trece votos contra diez, el recurso del Gobierno central contra la Ley de Contratos de Cultivo aprobada por el Parlamento de Cataluña, la cual queda así anulada. • Nacionalistas catalanes y vascos abandonan las Cortes. • A pesar de la decisión del Tribunal de Garantías, el Parlamento catalán aprueba el reglamento de la Ley de Contratos de Cultivo. • Partidos y sindicatos de izquierda se alzan en armas contra el Gobierno tras el nombramiento de tres ministros de la CEDA en el nuevo gabinete que forma Alejandro Lerroux. En Asturias, foco principal de la rebelión, los desórdenes revolucionarios y su represión posterior, a cargo del Ejército y la Guardia Civil, causan unos 1.500 muertos, 3.000 heridos, más de diez mil detenidos y numerosos daños en infraestructuras e inmuebles. • El Gobierno de la Generalidad se alza al mismo tiempo en armas, pero sin apenas apoyo popular el intento es sofocado en horas, al coste de 46 muertos. El Estatuto catalán es suspendido y las competencias de la Generalidad pasan a ser ejercidas por un Gobernador General. • La mayor parte de la minoría de izquierda se ausenta de las Cortes. • El Presidente de la República, Niceto Alcalá Zamora, indulta todas las penas de muerte impuestas contra los revolucionarios, excepto en tres casos. • Los monárquicos fundan un Bloque Nacional de carácter autoritario. • Manuel Azaña recupera la libertad después de permanecer dos meses preso. • El déficit del Estado alcanza el máximo del periodo republicano, con el 11,3 por 100. En los tres últimos años el gasto público ha crecido un 20,79 por 100 (el 15 por 100 sobre 1929). • El Índice de la Bolsa alcanza el mínimo de la etapa republicana, con el 578,42 (inferior al de 1900). Los efectos públicos suponen desde 1932 la mitad de la contratación.

1935 • La renta *per capita* recupera la cifra de 1930. Los conflictos laborales se reducen al mínimo, con sólo 32.800 huelguistas (843.303 en 1933 y 741.878 en 1934). • La mortalidad infantil, reducida a 109 por mil nacidos vivos. • Manuel Azaña, Martínez Barrio y Sánchez Román fusionan sus respectivos partidos republicanos. • José María Gil Robles, nuevo ministro de la Guerra, nombra al General Francisco Franco Jefe del Estado Mayor Central del Ejército. • Rotas las relaciones entre Falange y los monárquicos. • El Tribunal de Garantías Constitucionales condena a 30 años de prisión a Luis Companys y los consejeros de la Generalidad de Cataluña. • El centro y la derecha pactan una reforma constitucional. Una nueva Ley Agraria deroga la reforma aprobada en 1932. • El escándalo del «estraperlo» —concesión de un juego de ruleta supuestamente trucado— derriba al Gobierno Lerroux. El financiero Joaquín Chapaprieta, nuevo jefe del ejecutivo. • El Príncipe don Juan contrae matrimonio en Roma con su prima doña María de las Mercedes. • El Presidente Alcalá Zamora cesa a Chapaprieta y le sustituye por el centrista Manuel Portela Valladares, a quien niega su apoyo la CEDA. • Francisco Largo Caballero, secretario general de la UGT, se beneficia de una amnistía y obtiene la libertad después de más de un año en prisión. Ruptura entre el PSOE y la UGT, que adopta una línea política radical. • Acción Católica promueve una Confederación Española de Sindicatos Obreros (CESO), que agrupa a 276.000 afiliados, sobre todo en provincias del Norte de España. • La mayor partida de gastos del Presupuesto del Estado la constituyen los intereses de la Deuda (20,6 por 100); la Defensa representa el 16 por 100, las Pensiones el 8,5 y la Educación el 6,9. Los principales ingresos provienen de los Monopolios (22,1), seguidos por las Aduanas (10,7), el Tráfico (7,5) y la contribución rústica y pecuaria (5,5). Los gastos del Estado no crecen en el ejercicio y equivalen al 13,5 por 100 de la renta nacional, con una reducción del déficit al 6,87 por 100. • La Bolsa sube un 19,1 por 100.

1936 • Alcalá Zamora convoca elecciones generales, que en medio de graves tensiones son ganadas por el Frente Popular, integrado por los partidos de izquierda y republicanos.

Portela Valladares dimite antes de la segunda vuelta, cuya celebración es controlada por los nuevos gobernantes de izquierda y protestada por la oposición. • Manuel Azaña vuelve a la jefatura del Gobierno, ante el boicot de Largo Caballero a su rival socialista Indalecio Prieto. Amnistía para los condenados por la rebelión de octubre de 1934; Companys retorna a la presidencia de la Generalidad. • Vuelve a aplicarse la reforma agraria de 1932: en cinco meses se asientan 114.343 familias, aunque sin recursos económicos suficientes para emprender la explotación de las tierras. En varias provincias del sur se efectúan ocupaciones ilegales de tierras. • La CNT suma 612.705 afiliados: por vez primera los afiliados andaluces (30,5 por 100) superan a los catalanes (30,4). • El General Emilio Mola, Gobernador Militar de Navarra y Director General de Seguridad en los últimos años de la Monarquía, comienza a preparar una rebelión militar. • Considerable aumento de los desórdenes públicos y los asesinatos políticos. Proliferación de milicias paramilitares en numerosos partidos y sindicatos. • Las Juventudes Socialistas se unifican con las Comunistas. • Las Cortes destituyen a Niceto Alcalá Zamora y nombran en su lugar a Manuel Azaña. El republicano gallego Santiago Casares Quiroga, nuevo Presidente del Consejo de Ministros. • La cifra de parados asciende a mitad del año a 821.322, casi el 10 por 100 de la población activa. • Los monárquicos, los carlistas, Acción Popular, Falange Española, el exiliado General Sanjurjo y el General Gobernador Militar de Canarias Francisco Franco, entre otros, se suman a la conspiración que dirige el General Mola. • Tras el asesinato del Teniente José Castillo, instructor de las milicias socialistas, un Capitán socialista de la Guardia Civil y una docena de guardias de asalto secuestran y asesinan al ex ministro de la Dictadura y diputado José Calvo Sotelo, líder del Bloque Nacional y uno de los portavoces parlamentarios de la oposición. • La mayor parte de las guarniciones militares se sublevan contra el Gobierno del Frente Popular, pero la rebelión es sofocada por fuerzas adictas en la mitad del país, incluidas Madrid, Barcelona y Valencia. Comienza la Guerra Civil. • Una Junta de Generales y Coroneles, presidida por el General Miguel Cabanellas, jefe de la V División Orgánica (Zaragoza), gobierna la zona sublevada, que se denomina a sí misma «nacional». • El republicano José Giral se hace cargo del Gobierno de Madrid, tras la dimisión de Santiago Casares Quiroga y un intento fallido de Diego Martínez Barrio para evitar la guerra. • Las dos facciones en lucha establecen la censura de prensa, que permanecerá en vigor durante casi treinta años. • El bando nacional restablece la bandera tradicional de España, bicolor, en lugar de la tricolor republicana. • Amplia represión en ambas zonas de los adversarios políticos. Fusilados, entre muchos otros, el poeta Federico García Lorca y José Antonio Primo de Rivera. Persecución religiosa en la zona republicana. • El Ejército de África, al mando del General Franco, cruza el Estrecho, enlaza por Extremadura las dos partes de la zona sublevada, libera del asedio al Alcázar de Toledo y emprende el asalto a Madrid. • La República encomienda la jefatura del Gobierno al socialista Francisco Largo Caballero, quien crea un Ejército Popular. Federica Montseny, de la CNT, nombrada ministra de Sanidad y Asuntos Sociales; es la primera mujer española que toma asiento en el Consejo de Ministros. • La Junta de Defensa que gobierna la zona nacional entrega todos los poderes a Francisco Franco, nombrado Generalísimo. Una Junta Técnica del Estado, presidida por el General de Estado Mayor Fidel Dávila Arrondo, le asesora en las tareas de Gobierno. • El Gobierno republicano abandona la capital y se instala en Valencia. El bando nacional rechaza todas las ofensivas republicanas, pero fracasa en la toma de Madrid. • La Italia fascista y la Alemania nazi envían ayuda militar al bando nacional, en tanto que la Unión Soviética y Francia lo hacen en favor del bando republicano. Gran Bretaña, Francia y Estados Unidos patrocinan un Pacto de No Intervención en la Guerra de España. • La Internacional Comunista encuadra en Brigadas Internacionales a los voluntarios que desean combatir a favor del Frente Popular. Alemania envía a la Legión Cóndor (aviación y artillería antiaérea); Italia al Cuerpo de Tropas Voluntarias (tierra) y a la Aviación Legionaria. • El Gobierno republicano envía en secreto a la URSS 460 toneladas de oro (valoradas en 518 millones de dólares), equivalentes al 72,4 por 100 de las reservas de ese metal que el Banco de España tenía al comenzar la guerra. • Confiscación masiva de empresas y tierras de cultivo en la zona republicana, mientras en la zona nacional se mantiene la organización económica. Escasez de alimentos en zona republicana: aparecen las cartillas de racionamiento. Ambos bandos bloquean las cuentas bancarias y depósitos extrabancarios. Clausurada la Bolsa: hasta julio había perdido un 8,7 por 100. División monetaria entre las dos zonas. Distanciamiento progresivo, en el mercado internacional, de la cotización de la peseta «nacional» sobre la «republicana». • El Gobierno republicano aprueba el Estatuto de Autonomía del País Vasco: José Antonio Aguirre, del Partido Nacionalista Vasco, elegido *lendakari* (presidente).

1937 • Nuevos fracasos del Ejército Nacional en torno a Madrid. • Franco restablece la Marcha Granadera como himno nacional. • Decreto de Unificación en la zona nacional: Falange Española Tradicionalista y de las JONS es la síntesis que da nombre al nuevo partido único, cuyo Jefe Nacional es Franco. Salvo una pequeña protesta falangista, todas las fuerzas políticas alzadas en julio de 1936 apoyan la unificación. • Nace en Salamanca Radio Nacional de España. • Carta Pastoral Colectiva del Episcopado, que define la causa del bando nacional como una Cruzada. • El Ejército Nacional vuelca su esfuerzo militar en el Norte y ocupa las provincias de Vizcaya, Santander y Asturias. Anulado el Estatuto de Autonomía del País Vasco y suprimidos asimismo los conciertos económicos de Guipúzcoa y Vizcaya, por la «traición» de dichas provincias al decidirse en julio de 1936 a favor del Frente Popular. • Fracasan las ofensivas republicanas en Brunete (Madrid) y Belchite (Zaragoza). • Franco admite públicamente el posible retorno de la Monarquía. • Luchas internas en el bando republicano: enfrentamientos armados entre distintos sectores, con influencia creciente de un PCE apoyado por la URSS. Largo Caballero es sustituido en la jefatura del Gobierno por otro socialista, el doctor Juan Negrín. • Agentes de la policía política soviética, NKVD, en colaboración con comunistas españoles, secuestran, torturan y asesinan al líder del Partido Obrero de Unificación Marxista (POUM), Andreu Nin, sobre quien vierten una campaña de difamación por «trotskista». Otros dirigentes del POUM son detenidos y sometidos en Barcelona a un proceso inspirado en las «purgas» que Stalin desarrolla en esos momentos en Moscú, las cuales suponen la muerte para varios de los más destacados agentes soviéticos en España, como el embajador Rosenberg y el cónsul Antónov-Ovséienko. • El Ejército Popular ocupa la ciudad de Teruel.

1938 • Nace en Roma el Infante don Juan Carlos, primer hijo varón de don Juan de Borbón y heredero de la dinastía. • Franco nombra a su primer Gobierno y desaparece la Junta Técnica. • El Ejército Nacional recupera Teruel y lanza una ofensiva sobre Aragón, Cataluña y Valencia que llega al Mediterráneo y rompe en dos la zona republicana. • El bando nacional anula el Estatuto de Autonomía de Cataluña. • Proclamado el Fuero del Trabajo. • Frustrada ofensiva en el Ebro del Ejército Popular de la República, a cargo del Grupo de Ejércitos de la Región Oriental que manda el miliciano comunista Juan Modesto. • Ante la crisis de los Sudetes, el Gobierno de Franco afirma la neutralidad de España en caso de guerra en Europa. • Franco anula la condena de las Cortes republicanas a Alfonso XIII y devuelve sus bienes a la Familia Real. • El Gobierno de Burgos crea la Organización Nacional de Ciegos de España (ONCE), tutelada por el Estado. • La Sección Femenina de Falange alcanza un máximo de 580.000 mujeres encuadradas en servicios de auxilio social, sanitarios y de retaguardia. El bando nacional gana la «guerra económica», al conseguir una financiación mucho más favorable de sus compras en el exterior y limitar la pérdida del valor de la moneda: la inflación entre julio de 1936 y marzo de 1939 fue del 40,7 por 100 frente al 1.340,2 por 100 hasta enero de 1939 en la zona republicana.

1939 • Fundada en Burgos la Agencia EFE, sociedad anónima continuadora de la agencia Fabra, cuyas acciones suscriben mayoritariamente los principales bancos. • Una ofensiva del Ejército Nacional le permite ocupar Cataluña en mes y medio. • Prohibido el uso oficial e incluso público de las lenguas regionales, cuyo empleo se reduce al ámbito privado. • El Gobierno republicano se exilia en Francia y Azaña dimite como Presidente. Gran Bretaña, Francia y Estados Unidos reconocen al Gobierno de Franco. • Luchas internas en la zona republicana —socialistas y anarquistas contra los comunistas—, que precipitan el fin incruento de la guerra. El Ejército Nacional entra en Madrid sin disparar un tiro. • El conflicto ha reducido en una cuarta parte la renta nacional y causado de forma directa casi 300.000 muertes, la mitad en la represión de la retaguardia. • Rápida desmovilización de los Ejércitos, aunque los soldados del Ejército Popular que no hayan cumplido el servicio militar deberán prestarlo al ser reclamados para ello. • España se retira de la Sociedad de Naciones. • Derogadas la Constitución y una parte significativa de la legislación republicana, comprendida la reforma agraria. • Creado el Instituto Nacional de Colonización. Se crea el Servicio Nacional del Trigo, que compra a los labradores todo el grano que produzcan, a un precio superior al del mercado internacional. • El ministro de Hacienda, José Larraz, promueve el desbloqueo de cuentas bancarias para normalizar la situación financiera y económica, al coste de un impacto inflacionista. • Creados el Ejército y el Ministerio del Aire, que asume las competencias de la aviación civil. Creado el Alto Estado Mayor, con dependencia directa de Franco y encargado de labores de coordinación de los tres Ejércitos. • Se mantiene la censura previa en la prensa; Radio Nacional de España ejercerá el monopolio de la información radiofónica. • Fundado el Consejo Superior de Investigaciones Científicas. • Ley de Responsabilidades Políticas: se considera rebelión no someterse al estado de guerra proclamado por las unidades militares sublevadas en julio de 1936. • Prohibidos los partidos políticos y los sindicatos, con Falange Española de las JONS como partido único. • Depurados varias decenas de miles de funcionarios públicos civiles y militares (aunque parte serán *repescados* en los años y decenios siguientes), en tanto que otros profesionales, como los periodistas tenidos por adversarios del nuevo régimen, son inhabilitados para ejercer su trabajo. Entre los profesores depurados figuran Américo Castro, Claudio Sánchez Albornoz, Pedro Salinas, Antonio Flores de Lemus y Luis de Zulueta. • Juan Negrín constituye y preside en México un Gobierno republicano en el exilio. • Fundada la obra sindical Alegría y Descanso (denominada más tarde Educación y Descanso), que promoverá actividades culturales, deportivas y turísticas, a precios populares. • Varios cientos de miles de españoles del bando vencido marchan al exilio y otros 270.719 siguen presos al finalizar el año. Más de veinte mil serán condenados a muerte y ejecutados durante los primeros años de posguerra. • Los españoles que saben leer y escribir suponen ya las tres cuartas partes de la población. • Comienza la reconstrucción del país, dificultada por el inicio de la Segunda Guerra Mundial. El Gobierno ordena la neutralidad.

1940 • Ley de Unidad Sindical: la Confederación Nacional Sindicalista (CNS), estructurada de modo vertical y que integra a empresarios y trabajadores, es la única organización autorizada. • Fundado el Frente de Juventudes, rama juvenil de FE de las JONS. • La progresiva extensión de la guerra mundial, su duración, las represalias de los Aliados por la amistad con el Eje y la adopción de una política económica autárquica y autoritaria, provocarán durante el decenio el estancamiento de la economía española. • Creado el cuerpo de la Policía Armada, que hereda en parte la organización y competencias de la Guardia de Asalto, y que en 1978 cambiará su nombre por el de Policía Nacional. • La incautación del patrimonio de empresas periodísticas «contrarias al Movimiento Nacional», iniciada en 1936, permite al partido único establecer una red de *Prensa del Movimiento*, que llega a contar con un máximo de 45 periódicos diarios y otras publicaciones. • Tras la ocupación alemana de Francia en poco más de un mes y la incorporación de Italia a la guerra, España cambia su status de neutral a «no beligerante». Los Ejércitos retrasan el licenciamiento de los soldados de reemplazo ante la incertidumbre causada por la guerra. Abierta a los Alféreces Provisionales de la guerra civil la posibilidad de «transformarse» en militares profesionales: entre 1939 y 1948, de 16.875 candidatos obtienen el despacho de Teniente 9.758. Comienza la Tercera Época de la Academia General Militar. • España y Portugal suscriben el Pacto Ibérico. • Francisco Franco y Adolf Hitler se entrevistan en Hendaya (Francia) y examinan la participación española en la guerra. Informe contrario de los Estados Mayores de los tres Ejércitos, en particular de la Marina, por la falta de preparación y el probable corte de suministros básicos. • Manuel Azaña muere exiliado en Montauban (Francia). El socialista Julián Besteiro muere en prisión, tras haber sido condenado a cadena perpetua. • Detenidos en la Francia ocupada, extraditados a España, juzgados en consejo de guerra y fusilados el ex ministro socialista Julián Zugazagoitia y el ex presidente de la Generalidad Luis Companys. • Libertad condicional para los condenados a menos de seis años y un día. • El Producto Interior Bruto es un 23,5 por 100 menor que el de 1935, en pesetas constantes. • Las cuentas del Estado presentan un déficit equivalente al 10,1 por 100 de los gastos. • La Bolsa abre de nuevo sus puertas. El Índice ponderado de este año constituye una nueva base 100. Los efectos públicos suponen el 60,42 por 100 de la contratación, cuyo volumen es de sólo 960 millones de pesetas. • El número de presos al finalizar el año asciende a 233.373.

Madrid, 12-4-1931.
Mesas de asesoramiento a los electores durante el desarrollo de las Elecciones Municipales, cuyo resultado, desfavorable a las candidaturas monárquicas en las grandes ciudades, abrió paso a la proclamación de la República dos días más tarde

Madrid, 14-4-1931.
La gente celebra en la calle la proclamación de la II República

Madrid, 14-4-1931.
Ciudadanos festejan en la plaza de Cibeles la proclamación de la II República

Madrid, 14-4-1931.
Un grupo de hombres se fotografía sobre una estatua derribada en los incidentes surgidos tras la proclamación de la II República

Barcelona, 14-4-1931.
Proclamación de la II República Española.
Momento en que es izada la bandera en la
Diputación de Barcelona

Galapagar (Madrid), 15-4-1931.
Al día siguiente de la proclamación de la
II República, la Familia Real emprende el
camino del exilio. En la imagen, la reina
Victoria Eugenia y sus hijos, acompañados
por el general Sanjurjo (de espaldas),
hacen un descanso en Galapagar antes de
llegar a El Escorial, en donde tomaron un
tren hacia Francia.
(Foto: archivo Díaz Casariego)

Madrid, 11-5-1931.
*Quema del colegio Nuestra
Señora de las Maravillas*

Madrid, 11-5-1931.
*Quema de conventos e
iglesias. En la imagen,la
iglesia de la Flor ardiendo*

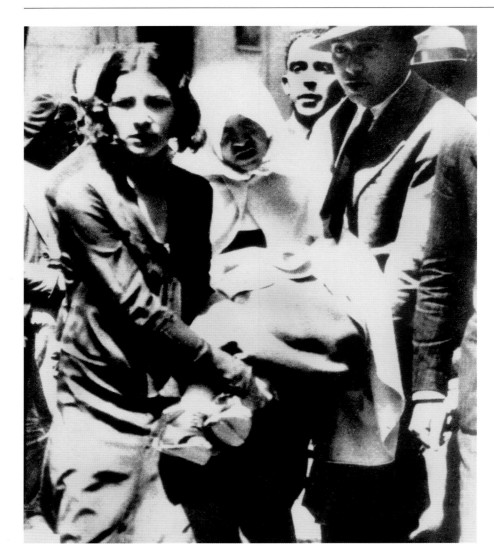

Madrid, 11-5-1931.
Religiosa enferma sacada precipitadamente del convento de la calle Isabel la Católica, incendiado por las turbas

Madrid, 1932.
Guardias de asalto disuelven un grupo de alborotadores durante la huelga convocada este año por las organizaciones sindicales

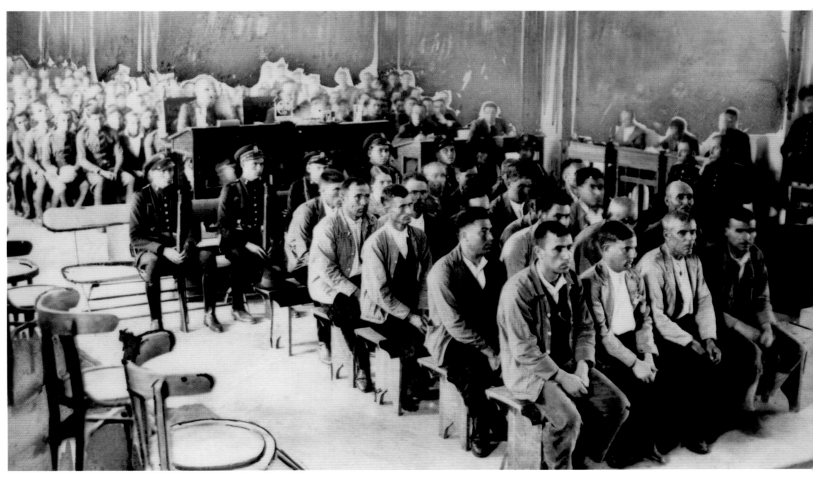

Badajoz
Consejo de guerra contra los acusados de los sucesos de Castilblanco ocurridos el 31 de diciembre de 1931, en los cuales fueron asesinados ocho guardias civiles y un paisano

Casas Viejas (Cádiz),
8-1-1933.
Guardias de asalto en una calle de la localidad

Casas Viejas (Cádiz),
8-1-1933.
*Médicos forenses y
periodistas ante los
cadáveres de las víctimas de
los incidentes registrados en
esta localidad, depositados
en el cementerio*

Madrid, 19-11-1933.
Los ciudadanos esperan su turno para votar en las primeras elecciones generales en las que pudieron votar las mujeres

Madrid, 4-9-1934.
Disturbios en las calles de la capital con motivo de las jornadas de huelga convocadas por las organizaciones de izquierdas. Los manifestantes corren a refugiarse ante la presencia de los guardias de asalto

15 de octubre de 1934.
Varios individuos con los brazos en alto se entregan a las fuerzas del orden público durante las huelgas convocadas por las organizaciones obreras

Bugarra (Valencia).
*En este pueblo se
desarrollaron sangrientos
sucesos provocados por los
anarco-sindicalistas, que
asesinaron a cuatro guardias.
Los terroristas proclamaron el
comunismo-libertario y el
Ayuntamiento fue tomado por
los revolucionarios. En la
foto, los primeros anarco-
sindicalistas que fueron
hechos prisioneros por la
Guardia Civil*

Oviedo, octubre de 1934.
*Revolución de Asturias.
Muertos durante los
enfrentamientos entre los
rebeldes y el Ejército*

Barcelona, 7-10-1934.
Mozos de escuadra son conducidos prisioneros tras tomar el Ejército los edificios de la Generalidad y el Ayuntamiento

Oviedo, 1934.
En el Gobierno Militar y ante el Consejo de Guerra han comenzado a verse los juicios sumarísimos contra los encartados en la Revolución.
En la foto, cuatro de los procesados, a los que se ha condenado a cadena perpetua

Barcelona, octubre 1934.
Lluis Companys, presidente de la Generalidad, en la cárcel Modelo de Barcelona

1935.
Don Juan de Borbón y Battemberg con su prometida Doña María de las Mercedes de Borbón y Orleans

Madrid.
Mitin monárquico. Ramiro de Maeztu durante su intervención y, sentado de perfil, José Antonio Primo de Rivera

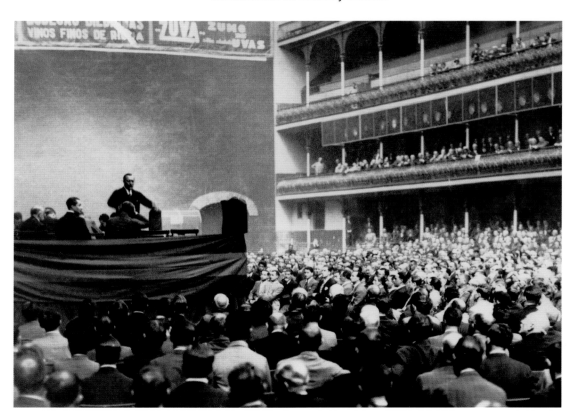

Madrid, 29-2-1936.
Mitin de Dolores Ibarruri en la plaza de toros por la concesión de la amnistía

Año 1936.
Mítines de izquierdas

Febrero de 1936.
Imagen expresiva de la intensa politización en la sociedad española a partir de las elecciones de febrero, que afectó también a las más jóvenes generaciones

Madrid, febrero de 1936.
Los ciudadanos guardan cola para votar en el cine «Madrid». Llegan por la calle del Carmen hasta la de la Salud.
(Foto: archivo Díaz Casariego)

Madrid, febrero de 1936.
Manifestación por el triunfo del Frente Popular en las elecciones del 16 de febrero. Los manifestantes piden la amnistía para los detenidos por los sucesos de octubre de 1934

Madrid, 1-3-1936.
Manifestación de júbilo por la concesión de la amnistía a los implicados en los acontecimientos de octubre de 1934, por el gobierno del Frente Popular

Valencia, enero de 1937.
Conferencia Nacional de las «Juventudes Unificadas Socialistas». En la imagen, Trifón Medrano se dirige a los asistentes; a su derecha, Santiago Carrillo

Madrid, 11-3-1936.
Quema y asalto de tiendas en el Puente de Vallecas

Santa Cruz de Tenerife, 17-6-1936.
*Reunión de Francisco Franco con oficiales
y jefes en un almuerzo celebrado en el
Monte de la Esperanza, tras unas
maniobras. Foto: Adalberto Benítez*

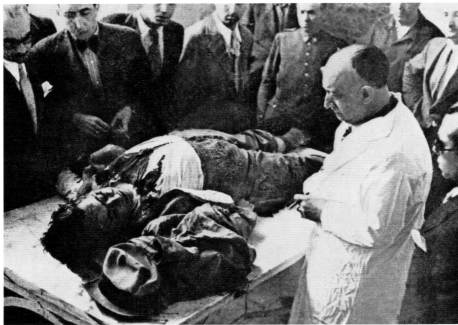

Madrid, 13-7-1936.
*El doctor Piga, de la Escuela de Medicina
Legal, mira el cadáver de José Calvo Sotelo en
la mesa del depósito en el Cementerio del Este*

Cascais (Portugal), 20-7-1936.
*Última fotografía del general Sanjurjo,
antes de subir al avión pilotado por José
María Ansaldo, con el que pretendía llegar
a Burgos y ponerse al frente del
Alzamiento. Le despiden a pie de avión su
esposa y algunos amigos, entre ellos el
marques de Quintanar, que serían testigos
del accidente en el que murió, al chocar
contra un muro cuando el avión iba a
emprender el vuelo*

Madrid, julio de 1936.
Toma del Cuartel de la Montaña por las milicias. (Pie de foto original)

Madrid, julio de 1936.
Caídos en el patio del Cuartel de la Montaña. (Pie de foto original)

Madrid, julio de 1936.
Registros de automovilistas en la plaza de Atocha

Madrid, 19-7-1936.
Ambiente en las calles de la capital al día siguiente del alzamiento militar. Civiles armados y ciudadanos comentan los últimos acontecimientos

Madrid, 22-7-1936.
*Cadáveres en el Depósito
Judicial*

Sevilla, 21-7-1936.
*Una mujer llora ante los
cadáveres de sus familiares
muertos en el barrio de Triana*

Madrid, agosto de 1936.
Mujeres desfilando tras recibir instrucción militar. (Foto: archivo Vidal)

Madrid, julio 1936.
Regreso de los milicianos que han participado en la toma del Cuartel de la Montaña

Madrid, agosto de 1936.
Instrucción militar de milicianas

Bujaraloz (Zaragoza),
14-8-1936.
*Milicianos de UGT hacen un
alto en dirección a Zaragoza*

Valladolid, 14-6-1941.
Traslado de los restos de Onésimo Redondo. Millares de vallisoletanos acudieron a dar el último adios al jefe territorial de Falange Española de las JONS, muerto el 26 de julio de 1936 en Labajos (Segovia), en un enfrentamiento con milicianos anarquistas, cuya bandera utilizaba los mismos colores, rojo y negro, que la Falange. (Foto: Hermes Pato)

Toledo, 30-9-1936.
Aspecto del ala sur del Alcázar, donde fue más encarnizado el ataque de los republicanos para tratar de conseguir la rendición

Salamanca, 12-10-1936.
Miguel de Unamuno, rector de la Universidad de Salamanca, sale acompañado del obispo de la diócesis, Enrique Pla y Deniel, después de protagonizar un enfrentamiento verbal con el jefe de la Oficina de Prensa y Propaganda, general Millán Astray, en un acto celebrado con motivo del Día de la Hispanidad, al que asistió Carmen Polo de Franco

Madrid, 10-8-1936.
Niños aprendiendo instrucción y política socialista.
(Pie de foto original)
(Foto: archivo Vidal)

Madrid, 1936.
Manifestación con un retrato de la Pasionaria y banderas con siglas «UHP», («Uníos, Hermanos Proletarios»).
(Foto: archivo Vidal)

Toledo. Guerra Civil.
Detalle del altar mayor de la iglesia de San Miguel, saqueada y destruida por republicanos. Los cadáveres fueron sacados de los sepulcros y colocados en el altar mayor, haciendo una macabra exposición con ellos

Madrid. Guerra Civil.
Uno de los hermosos salones del Casino de Madrid, convertido en hospital de sangre

Madrid. Guerra Civil.
Un miliciano republicano monta guardia ante el altar de la Virgen de la Paloma

Baracaldo (Vizcaya), 12-9-1937.
Jura de bandera del Tercio «Ortíz de Zárate» del Requeté. Requetés formados. (Foto: Amado)

Madrid. Guerra Civil.
Frente de Somosierra.
*Milicianos avanzando
posiciones*

Madrid. Guerra Civil.
*Avance de Infantería en el
sector de la Casa de Campo
y carretera de Extremadura*

1937.
Combatiente arrojando una bomba de mano de mecha, de fabricación artesanal. Porta casco reglamentario del Ejército español, modelo 1930

Guerra Civil.
Grupo de falangistas guineanos El pie de foto original incluía el «Himno de los Falangistas Morenos»: Yo soy moreno de la Guinea / que por España voy a luchar / contra los rojos que la mancillan / y que la tratan de destrozar. / Nos manda Franco, invicto jefe / que a la victoria marcha triunfal / y aunque caigamos en la Cruzada / la nueva España resurgirá. / Los falangistas morenos/por la patria a morir/los falangistas morenos por la patria a luchar. / ¡Arriba España!, bendita e inmortal / lucharemos por nuestro Caudillo / y por la Falange que es gran ideal

Vinaroz, 31-5-1938.
El general Francisco Franco
dirige la palabra a los
marinos durante la visita que
hizo a las unidades de la
Marina de Guerra del
Mediterráneo

Santander, septiembre de 1937. Desfile de la Sección Femenina de Falange

Castellón, 15-6-1938.
Grupo de muchachas con pan blanco cantan y saludan dando vivas a Franco, poco después de la entrada de las tropas nacionales en la ciudad

Guerra Civil.
Un sacerdote utiliza un tanque soviético T-26B, capturado al enemigo, como altar durante la celebración de una misa de campaña en el frente

Madrid. Guerra Civil.
Legionarios atacan una posición enemiga en el frente de Madrid

Bilbao, 31-3- 1937.
Un sacerdote con traje civil transporta la «Sagrada Forma» desde una iglesia bombardeada a otra, protegido por fuerzas de seguridad afines al Gobierno nacionalista vasco

Madrid, 9-1-1937.
Una joven sostiene a su hermano en brazos durante la visita a las ruinas de su casa después de un ataque aéreo sobre la capital

Guerra Civil.
Junto a los típicos molinos de La Mancha, los campesinos saludan, con el puño en alto, a las fuerzas del gobierno y a los milicianos que marchan a luchar al frente. (Pie de foto original). (Foto: archivo Vidal)

Provincia de Madrid. Guerra Civil.
Los milicianos apuntan sus armas contra la escultura del Sagrado Corazón en el Cerro de los Ángeles

Teruel, diciembre 1937.
Toma de la ciudad por las tropas republicanas

Teruel, diciembre 1937.
Tropas republicanas combaten en el interior de la ciudad

Teruel, 24-2-1938.
Frente de Aragón. El Tercio de Montejurra, de la Primera Brigada de Navarra, sale de Teruel después de conquistar la ciudad

Frente de Valencia, Vinaroz, 15-4-1938.
Los soldados nacionales llegan al Mediterráneo

Barcelona, febrero de 1939.
Desfile de tropas del Ejército
Nacional en la capital
catalana

30-1-1939.
Un grupo de refugiados llega al albergue de Mauresque, cerca de Port-Vendres, en Francia

La Tour de Carol (Francia), 30-1-1939.
700 niños españoles procedentes de Puigcerdá llegan a la estación de esta localidad. En la imagen, los niños comen en el vestíbulo de la estación

Frontera de Port Bou, 2-2-1939.
Las tropas franquistas han tomado posesión del puesto fronterizo entre Port Bou y Cerbère. En la imagen, los soldados colocan la bandera tras su llegada a la frontera

Madrid, marzo de 1939.
Momentos después de la entrada de las tropas del general Franco, llega un camión con las Hermanas de la Caridad, que son recibidas por el pueblo madrileño

Madrid, 28-3-1939.
Madrileños subidos a un camión se dirigen por la calle Toledo para recibir y vitorear a las primeras unidades
nacionales que entran en la capital

Frente de Cataluña, 25-1-1939.
Por millares se cuentan los prisioneros republicanos que todos los días caen en poder del Ejército Nacional. He aquí una de las interminables caravanas de milicianos republicanos capturados en los últimos avances. (Pie de foto original)

Madrid, marzo de 1939.
Con el restablecimiento de las comunicaciones ferroviarias comienzan a llegar a Madrid las familias que fueron evacuadas de la capital por los republicanos

Madrid, 19-5-1939.
Primer Desfile de la Victoria presidido por el jefe del Estado, Francisco Franco, acompañado por altas autoridades militares, el Gran Visir del Jalifa de Tetuán, y los generales Aranda y Saliquet. Bajo la tribuna, efectivos de la Guardia Civil y Guardia Mora

Septiembre, 1939.
Carteles de Franco en los pueblos españoles al terminar la Guerra Civil

Barcelona, febrero de 1939.
Reparto de alimentos entre la población barcelonesa en uno de los comedores establecidos por
Auxilio Social, tras la toma por las tropas nacionales de dicha capital

Barcelona, febrero de 1939.
Muchachas de Auxilio Social distribuyen alimentos en uno de los comedores en la capital
de Cataluña

Barcelona, febrero de 1939.
Con la entrada en la ciudad de las fuerzas nacionales ha empezado a cobrar calor de realidad en las tierras recién liberadas la promesa de Franco: «Ni un hogar sin lumbre, ni un español sin pan». En la imagen, cola de menesterosos esperando la llegada de su turno para recibir la ración que les proporciona Auxilio Social. (Pie de foto original). Basilio Martín Patino eligió esta foto para el cartel de su película «Canciones para después de una guerra». Las dos imágenes de la página anterior pertenecen a la misma cola y coinciden algunos personajes

Barcelona.
Niños repatriados llegan en el «Vicente Puchol». (Foto: Pérez de Rozas)

Madrid, 1940.
Mendicidad en las calles de Madrid. (Foto: Hermes Pato)

San Sebastián, 13-7-1939.
El conde Ciano y el vicepresidente del gobierno, Conde de Jordana, recorren las calles de la ciudad

Hendaya (Francia), 23-10-1940.
ENTREVISTA FRANCO-HITLER. Fotografía difundida en España por la Agencia EFE
de la entrevista de Francisco Franco con Adolf Hitler. Ambos dictadores pasaron revista a
las tropas que aparecen en la imagen y levantaron el brazo como saludo, pero las figuras
de Franco y de Hitler fueron tomadas de otro acto anterior y pegadas sobre el original
de Hendaya, probablemente para realzar su imagen. También son «de pega» los dos
militares que aparecen detrás de Hitler

Foto auténtica en la que Franco y Hitler saludan brazo en
alto al pasar revista

Foto auténtica de Franco y Hitler pasando revista a una
unidad de tropas alemanas en la estación de Hendaya.
Puede advertirse que Franco lleva en su uniforme la cruz del
Águila alemana, en lugar de la medalla militar individual que
aparece en la foto trucada

1941 - 1950

Una sociedad herida

1941 • Franco se entrevista con Mussolini en Bordighera (Italia). España no acepta la invitación de Alemania e Italia para entrar en guerra. • Alfonso XIII muere en Roma, poco después de abdicar en su hijo don Juan. • La Ley de Ordenación Ferroviaria nacionaliza los ferrocarriles de vía ancha y da lugar al nacimiento de la Red Nacional de los Ferrocarriles Españoles (RENFE). • Tras el ataque alemán a la URSS el Gobierno organiza una División Española de Voluntarios, apodada *División Azul*, que combate en Rusia encuadrada en el ejército alemán, al mando del General Agustín Muñoz Grandes. Una *Escuadrilla Azul*, organizada por el Ejército del Aire, combate asimismo en los cielos rusos. La aportación de ambas unidades permite cancelar el 28 por 100 de la deuda contraída con Alemania por los suministros de ese país durante la guerra civil. • Destituido y confinado en Gerona, tras ser acusado de masón, el primer delegado nacional de Sindicatos, Gerardo Salvador Merino. • Creado el Instituto Nacional de Industria, símbolo de la intervención del Estado en la economía. • El dirigente falangista José Antonio Girón, nombrado ministro de Trabajo a los 28 años. Franco nombra Subsecretario de la Presidencia del Gobierno al Capitán de Fragata Luis Carrero Blanco, autor del informe de la Armada contrario a la participación en la guerra mundial. • Las cuentas del Estado arrojan superávit. • El Índice de la Bolsa sube un 38,93 por 100 y se dobla el valor de la contratación. • Libertad condicional para los condenados a penas que no superen los doce años. El número de presos al finalizar el año es de 159.392.

1942 • Las limitaciones de un comercio exterior condicionado por la guerra mundial —en particular la falta de abonos nitrogenados— reduce las cosechas agrícolas. • Establecido el Seguro Obligatorio de Enfermedad. • Un enfrentamiento entre falangistas y carlistas en Begoña (Bilbao) causa 72 heridos; fusilado el falangista que había lanzado unas bombas contra la multitud. Franco cesa a los ministros de Asuntos Exteriores, Ramón Serrano Súñer, y del Ejército, José Varela. • Creada la Milicia Universitaria, denominada luego Instrucción Premilitar Superior y más tarde IMEC (Instrucción Militar de la Escala de Complemento), con organizaciones similares en la Armada y el Ejército del Aire. • La División Azul combate en el frente de Leningrado; el general Emilio Esteban Infantes sustituye en el mando a Muñoz Grandes. • La Ley de Reglamentaciones de Trabajo supone la estatalización de las relaciones laborales • El Presidente de Estados Unidos, Franklin D. Roosevelt, informa por carta a Franco del desembarco aliado en Casablanca y le comunica que una España neutral «no tiene nada que temer de las Naciones Unidas». • Muere en la cárcel a los 31 años, enfermo, el poeta Miguel Hernández. • Fusilado en Valencia el cenetista Juan Peiró, ministro de Industria en el Gobierno de Largo Caballero. • Los presos, al finalizar el año, suman 124.423.

1943 • Apertura de las Cortes Españolas, cámara legislativa «orgánica» en la que casi todos sus miembros son promovidos o nombrados por el poder. • Implantación de la cartilla de racionamiento. • El Estado se hace cargo de los ferrocarriles de vía ancha operados por empresas privadas. • Acuerdo militar hispanoalemán: armas y productos industriales a cambio de materias primas. • Tras la caída del fascismo en Italia, Don Juan de Borbón, ocho tenientes generales y 27 procuradores en Cortes piden a Franco, sin éxito, la restauración de la Monarquía. • Presionado por Gran Bretaña y Estados Unidos, que cortan el suministro de carburantes, Franco retira la División Azul. La unidad ha sufrido casi 5.000 bajas mortales, el 10 por 1000 del total de hombres que han pasado por sus filas. • Fusilado en Barcelona el secretario general de la CNT clandestina, Esteban Pallarols. • España abandona la «no beligerancia» y vuelve a ser neutral. • Creada en la Universidad Central de Madrid la Facultad de Ciencias Políticas y Económicas. • Se establece la mayoría de edad en 21 años. • La Bolsa cae un 15 por 100 (Índice 127,66); los efectos públicos suponen este año y el siguiente el 85 por 100 de la contratación, máximo histórico de la posguerra. • Tras un breve repunte en los años de la guerra y la inmediata posguerra, la mortalidad infantil baja por vez primera de cien por cada mil nacidos vivos (99,12 por 1.000). • Concedida la libertad provisional a los condenados a penas de hasta 20 años y un día. El número de presos se reduce al finalizar el año a 74.095.

1944 • Se establece el Servicio Social Obligatorio para la mujer, organizado por la Sección Femenina y que estará en vigor durante algo más de treinta años. • La Ley de Contrato de Trabajo limita de forma radical el despido de los trabajadores. • Creado el Documento Nacional de Identidad, de carácter obligatorio. • Estados Unidos decreta un embargo de petróleo contra España. • Orden de retirada a la *Legión Azul*, último resto de la División Azul. Se retira también la Escuadrilla Azul. • Primer año de «pertinaz sequía», que reduce aún más la cosecha agrícola y se prolonga en 1945 y 1946. El suministro de electricidad se resiente asimismo de la falta de agua. • Se celebran las primeras elecciones sindicales del nuevo régimen. • Movilizado el Ejército para rechazar una ofensiva que antiguos combatientes republicanos, organizados por el Partido Comunista, lanzan en dos puntos de la frontera pirenaica: Navarra y el valle de Arán (Lérida). Según cifras oficiales, el Ejército y las Fuerzas de Orden Público sufren 32 muertos y 216 heridos, frente a 129 muertos, 241 heridos y 218 prisioneros de los guerrilleros. • Diplomáticos españoles protegen y salvan la vida a varios miles de judíos en países de Europa Oriental bajo ocupación alemana. • El número de presos al terminar el año asciende a 54.072.

1945 • La victoria aliada en Europa estimula la actividad de la guerrilla interior, conocida por el nombre utilizado en Francia, *Maquis* (matorral); según datos de la Guardia Civil, durante este año sufre 680 bajas, frente a 70 de las Fuerzas Armadas y del Orden Público. • Don Juan publica el *Manifiesto de Lausana* y pide a Franco que abandone el poder, en aras del interés nacional. • Nacionalizada la Compañía Telefónica. • Tras una matanza de residentes españoles en Filipinas, España rompe relaciones diplomáticas con Japón. • Huelgas en numerosas industrias del País Vasco. • El primer ministro británico, Winston Churchill, rechaza en la conferencia de Postdam una propuesta del dictador soviético, Iosif Stalin, para intervenir en España. • Las Cortes aprueban el Fuero de los Españoles, que establece determinadas garantías personales. Aprobada la Ley de Referéndum. • Franco nombra un nuevo Gobierno en el que los falangistas pierden influencia. Un propagandista católico, Alberto Martín Artajo, ocupa la cartera de Asuntos Exteriores. • Un decreto anula la disposición de 1937 que estableció como saludo nacional el brazo en alto. • Fundados el Instituto de Cultura Hispánica y el Instituto Nacional de Estadística. • La Fuerza Aérea del Ejército de Estados Unidos utiliza durante un año las bases de Villa Cisneros y Cabo Juby, en el Sáhara español, para apoyar y asistir a los aviones militares norteamericanos autorizados a sobrevolar el territorio. • Diego Martínez Barrio es nombrado Presidente de la República en el exilio. José Giral sustituye a Negrín en la presidencia del Gobierno republicano, que se reúne en México tras el reconocimiento de este país. • España, excluida de las Naciones Unidas por la amistad de su Gobierno con los vencidos en la guerra mundial. • Vuelve el déficit a las cuentas del Estado: equivale este año al 9,2 por 100 de los gastos y se prolongará hasta 1951. • Un decreto indulta a todos los condenados por rebelión militar que no hubieran cometido «hechos repulsivos para toda conciencia honrada». El número de presos en las cárceles asciende, a 31 de diciembre, a 43.812.

1946 • Don Juan rechaza una invitación de Franco para instalarse en España y se establece con su familia en Estoril, cerca de Lisboa. • Huelgas en Barcelona y su cinturón industrial. • Francia cierra la frontera con España tras la ejecución de un guerrillero comunista español que había combatido contra los alemanes. Las bajas del *Maquis* durante el año ascienden a 963, frente a 114 de las Fuerzas Armadas y del Orden Público. • Estados Unidos, Gran Bretaña y Francia suscriben una declaración conjunta de condena al régimen de Franco. • Las Naciones Unidas califican al régimen español como una amenaza a la paz internacional y recomiendan la retirada de embajadores. • Grandes manifestaciones de rechazo a la ONU y apoyo al Gobierno. • Se reanuda la producción literaria en lenguas españolas distintas del castellano: este año se publican doce títulos en catalán. • Manuel de Falla y Francisco Largo Caballero mueren exiliados, en Buenos Aires y París respectivamente. • El Índice de la Bolsa sube un 63,1 por 100, hasta el 274,72. • El total de presos al finalizar el año es de 36.370, entre los cuales son ya minoría los condenados por hechos cometidos durante la guerra civil.

1947 • La ofensiva del *Maquis* alcanza su punto culminante y empieza a decrecer; los guerrilleros sufren 1.107 bajas, frente a 144 de las Fuerzas Armadas y del Orden Público. • Eva Duarte, esposa del presidente Juan Domingo Perón, visita oficialmente España y reafirma el apoyo de Argentina a su pueblo y su Gobierno. • La hostilidad de los vencedores de la guerra mundial a la Dictadura de Franco impide que España se beneficie del Plan Marshall para la recuperación económica de Europa. • Las Cortes aprueban la Ley de Sucesión, que

convalida a Franco como Jefe del Estado con duración indefinida, define a España como un Reino y establece que un Rey «español, católico, varón y mayor de 30 años» será el sucesor de Franco. Duras críticas de Don Juan a la Ley de Sucesión, que es aprobada en referéndum por el 82,34 por 100 del censo, tras una campaña en la que no hubo posibilidad efectiva de debate público ni de control de los resultados. • Tras suscribir un acuerdo con la Santa Sede se establece el Tribunal de la Rota, competente en los pleitos de derecho canónico. • Sancionado con dos meses de arresto el General Antonio Aranda, tras mantener contactos con diplomáticos extranjeros y políticos de la oposición. • El torero Manuel Rodríguez, *Manolete*, muere tras ser corneado en la plaza de Linares (Jaén). • El socialista Rodolfo Llopis sustituye a Giral al frente del Gobierno republicano en el exilio, sucedido luego por Álvaro de Albornoz. • Regresa a España Alejandro Lerroux, que había apoyado a Franco durante la guerra. Muere en Buenos Aires el catalanista Francisco Cambó, quien también había apoyado al bando nacional. • Primeras huelgas importantes después de la guerra, que tienen lugar en la Ría del Nervión (Vizcaya) y áreas industriales de Guipúzcoa.

1948 • Francia reabre la frontera terrestre con España. • Franco y Don Juan de Borbón celebran en aguas próximas a San Sebastián su primera entrevista política y acuerdan que el Príncipe Juan Carlos se eduque en España. Pacto frustrado entre los monárquicos juanistas y el PSOE. • El balance de la lucha contra el *Maquis* es de 826 bajas frente a 63. El Partido Comunista, aconsejado por Stalin, renuncia a la lucha armada. • Don Juan Carlos llega a Madrid y comienza sus estudios de Bachillerato. • Restablecida la legislación nobiliaria de la Monarquía, suprimida en 1931. Franco se atribuye la concesión de títulos nobiliarios, que ejercerá en 31 ocasiones durante su mandato. • Las cuentas del Estado presentan el mayor déficit del siglo en tiempo de paz: el 15,47 por 100 de los gastos. • La Bolsa cae un 27,7 por 100, hasta el 220,11.

1949 • Fundación de la OTAN, que no incluye a España por la oposición de varios países del centro y el norte de Europa. • Creadas las Universidades Laborales, orientadas hacia la formación profesional. • Un atentado en Mora de Ebro (Tarragona) contra el expreso Barcelona-Madrid causa 40 muertos y más de 50 heridos. • Inaugurado en Madrid el primer Servicio de Isótopos Radioactivos, en una clínica privada. • Muere exiliado en Buenos Aires el ex presidente Niceto Alcalá Zamora. • Franco visita oficialmente Portugal, la última que efectuará a un país extranjero. • Toca fondo —205,78— el Índice de la Bolsa. • El balance de la lucha contra el *Maquis* es de 534 bajas frente a 56.

1950 • Francia declara ilegal en su territorio la actividad del Partido Comunista de España. • La Seguridad Social inaugura su primer Servicio de Isótopos Radioactivos. • Nacen las empresas públicas SEAT (automóviles) y ENSIDESA (siderurgia), establecidas respectivamente en Barcelona y Avilés (Asturias). • Las Naciones Unidas acuerdan por 38 votos a favor, 10 en contra y 12 abstenciones retirar las sanciones diplomáticas al régimen español. Estados Unidos votó a favor; Rusia, Israel y Méjico en contra; Francia y Gran Bretaña se abstuvieron. • Indalecio Prieto dimite como presidente del PSOE. La oposición del exilio republicano se debilita. • La economía muestra claros signos de reactivación. • Muere el Conde de Romanones. • La mortalidad infantil se reduce a 64,18 por mil. La esperanza de vida es de 62 años. • El balance de la lucha contra el *Maquis* es de 355 bajas frente a 36.

Roma, 3-3-1941.
Los restos del rey Alfonso XIII son conducidos a la iglesia de Santa María de los Ángeles, para ser trasladados desde allí a la de Montserrat.
Cubren el recorrido tropas del Ejército italiano

Madrid, 3-2-1941
Tranvía de la línea Sol-Chamartín «asaltado» por numerosos aficionados al fútbol

Madrid, 30-6-1941.
Estadio Chamartín. Final de la Copa de España de fútbol disputada entre el Valencia y el Español. Al inicio del encuentro los jugadores y el árbitro, Iturralde, hacen el saludo falangista

Frente de Leningrado, 9-7-1942
Voluntarios españoles de la División Azul se dirigen hacia el cuartel de campaña

Año 1941.
El general Agustín Muñoz Grandes, jefe de la División Azul, es condecorado con la Cruz de Hierro alemana

II Guerra Mundial. Frente ruso, 12-3-1943.
*El jefe de la División Azul, general Esteban Infantes, estudia junto a los mandos alemanes la
situación de los frentes rusos*

Madrid, 31-10-1942.
Inauguración del nuevo hogar de Auxilio Social «Batalla de Brunete»

Barcelona.
Un grupo de niñas acogidas en los centros de Auxilio Social hacen la primera comunión

Madrid, 25-3-1942.
Hogar-escuela del Colegio de la Sagrada Familia para los hijos de los reclusos. En la foto, las alumnas durante una de las clases.
(Foto: Hermes Pato)

Madrid, 25-3-1942.
Hogar-escuela del Colegio de la Sagrada Familia para los hijos de los reclusos. En la foto, los alumnos a la entrada del comedor. (Foto: Hermes Pato)

Madrid,10-12-1943.
El jefe del Estado, Francisco Franco, en el acto del Consejo Nacional de F.E.T. y de las J.O.N.S celebrado en el Palacio del Senado

Pequeño gastador del Frente de Juventudes presentando armas. (Foto: Cortés)

Madrid, 12-8-1943.
Llegada a la capital de un grupo de voluntarios de la División Azul, repatriados del frente ruso.
(Foto: Hermes Pato)

Madrid, 10-10-1945.
El Rastro

Irún, 1-3- 1946.
Cierre de la frontera franco-española. En la imagen, el puesto de la Guardia Civil en el puente sobre el Bidasoa, con la barrera echada impidiendo toda clase de tráfico hacia el país vecino

Madrid, 9-12-1946.
Manifestación patriótica en la Plaza de Oriente con motivo de la retirada de embajadores acreditados en España

Toledo, 13-6-1947.
Eva Duarte de Perón recorre la ciudad acompañada de Carmen Polo de Franco

Barcelona, 6-7-1947.
Largas colas de público se forman para votar en el Referéndum sobre la Ley de Sucesión. (Foto: Pérez de Rozas)

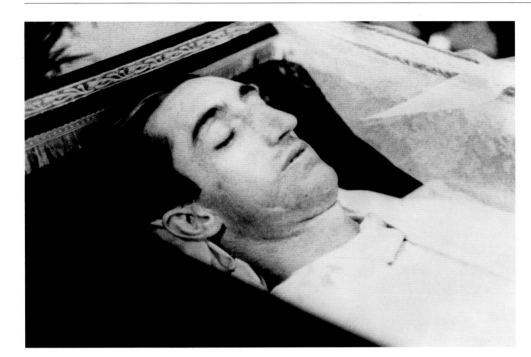

Córdoba, 31-8-1947.
Capilla ardiente de Manuel Rodríguez «Manolete», instalada en su casa de la avenida Cervantes.
(Foto: Rico de Estasen)

Córdoba, 31-8-1947.
Entierro del torero Manuel Rodríguez «Manolete»

Madrid, años 40. Semana Santa

Irún, 1948.
Reapertura de la frontera con Francia. Pasa el primer automóvil

Madrid, 4-2-1948.
Automóvil de matrícula extranjera, aparcado en una calle madrileña, que causaba la admiración de los transeúntes. (Pie de foto original)

Lisboa 22-10-1949.
Visita oficial del jefe del Estado, Francisco Franco, a Portugal. En la foto, de izquierda a derecha, Carmen Polo, la señora de Carmona, Francisco Franco y el mariscal Carmona

El Aaiún (Sáhara español), 21-10-1950.
El jefe del Estado, Francisco Franco, visita la ciudad acompañado por Carmen Polo. En la foto, observan un baile típico dentro de una jaima

Barcelona.
Las delegadas de Asistencia Social explican cómo se preparan alimentos para los niños

Barcelona.
Auxilio Social organiza colonias de recuperación para los acogidos en sus diversos centros. Los niños de tierra adentro son trasladados temporalmente a playas, mientras que los del litoral conocen la vida de la montaña. (Foto: Pérez de Rozas)

Madrid, 1950.
Un grupo de gitanos ofrece un espectáculo callejero con música, animales y ejercicios acróbatas

Madrid, 1950.
Mujeres con botijos ofrecen agua en la Plaza Mayor de Madrid

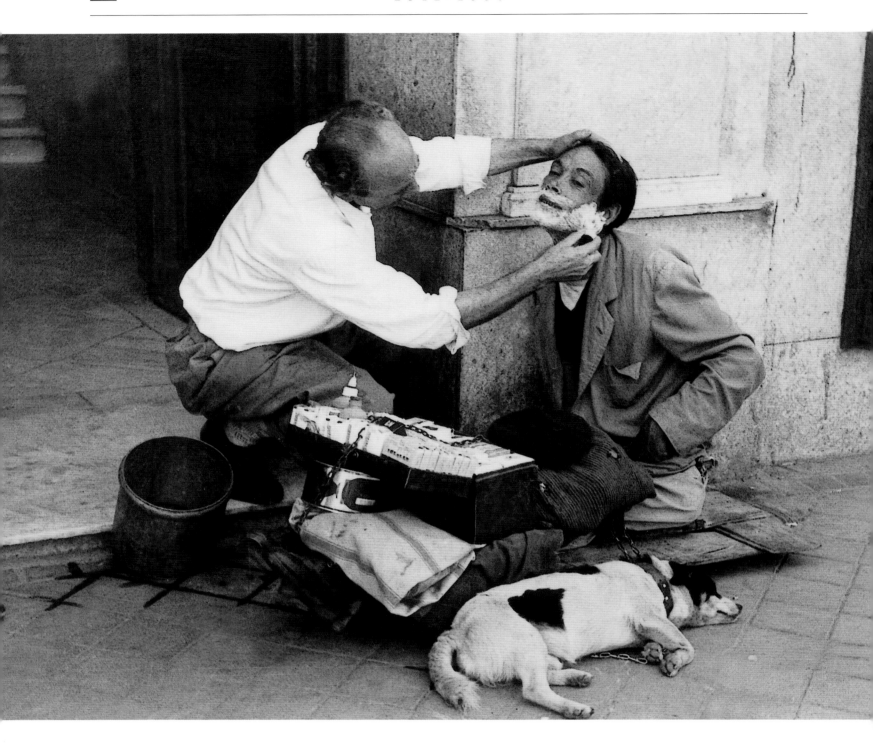

Madrid, 1950.
Sin palabras

Madrid, octubre 1950.
Peatones

1951-1960

América descubre España

1951 • Vuelven los embajadores de los países que habían aplicado las sanciones de la ONU. • Comienzan las negociaciones para el despliegue en España de efectivos militares norteamericanos. • Boicot ciudadano a los tranvías de Barcelona, en protesta por el aumento de la tarifa. • España ingresa en dos agencias de las Naciones Unidas: la FAO (Agricultura y Alimentación) y la OMS (Salud). • Creada la Junta de Energía Nuclear. • El número de turistas supera por vez primera el millón de visitantes extranjeros (1,26). • El balance de la lucha contra el *Maquis* es de 236 bajas frente a 29.

1952 • España ingresa en la UNESCO (Organización de las Naciones Unidas para la Ciencia y la Cultura). • Suprimidas las cartillas de racionamiento. • Ley de Concentración Parcelaria y comienzo del Plan Badajoz de regadíos y colonización. • Fundado en Pamplona el Estudio General de Navarra, obra corporativa del Opus Dei y embrión de la futura Universidad de Navarra. • El producto interior bruto supera por vez primera, en pesetas constantes, la cifra de 1929. • Las cuentas del Estado vuelven a presentar superávit. • Las Fuerzas de Orden Público, en particular la Guardia Civil, consiguen la práctica desaparición del *Maquis*: el balance del año es de 65 bajas frente a 11. Según cifras oficiales, los dos decenios de duración de la guerrilla costarán más de tres mil muertos: 2.173 guerrilleros, 953 civiles, 257 guardias civiles, 59 militares y 23 policías. Otros 3.387 guerrilleros y 19.444 colaboradores fueron detenidos. Al *Maquis* se le imputaron 5.963 atracos, 845 secuestros y 538 sabotajes.

1953 • Se firman un Concordato con la Santa Sede y unos Acuerdos de carácter económico y militar con Estados Unidos. • La economía española recupera en general los índices de producción anteriores a la Guerra Civil, incluido el de renta familiar disponible *per capita*. • Comienza en Barcelona (SEAT-FIAT) y Valladolid (FASA-Renault) la producción de automóviles.

1954 • Segunda entrevista política entre el Generalísimo Franco y don Juan de Borbón, en la finca de Las Cabezas (Cáceres), donde se acuerda que el Príncipe Juan Carlos siga los cursos de las tres academias militares. • Comienza la construcción de tres grandes bases aéreas (Zaragoza, Torrejón de Ardoz y Morón) y una aeronaval (Rota) para su utilización por la Fuerza Aérea y la Armada norteamericanas. • Tras la muerte de Stalin son liberados los prisioneros de la División Azul, a quienes una multitud acoge en el puerto de Barcelona. • España cierra su consulado en la colonia británica de Gibraltar. • La contratación de las acciones y obligaciones en la Bolsa vuelve a superar —y con carácter definitivo para el resto del siglo— al de efectos públicos.

1955 • Comienza el despliegue de bombarderos B-47 del Mando Aéreo Estratégico, con armamento nuclear, que convierten al territorio español en pieza clave de la estrategia occidental frente a la URSS. La ayuda militar americana permite iniciar la renovación doctrinal y material de los tres Ejércitos, que padecían una acusada obsolescencia. • España ingresa por consenso, con otros 15 países, en las Naciones Unidas; la votación sobre España fue de 55 votos a favor, ninguno en contra y 2 abstenciones (Bélgica y Méjico). • Un congreso celebrado en Toulouse (Francia) elige secretario general del PSOE a Rodolfo Llopis.

1956 • España y Francia ponen fin al régimen de Protectorado y reconocen la independencia de Marruecos. • Los Gobiernos de España y de Israel, por medio de sus servicios de inteligencia, colaboran en la protección y evacuación de unos cien mil judíos marroquíes, amenazados por el extremismo nacionalista que vive el país norteafricano. • Protesta de estudiantes universitarios en Madrid: un joven falangista resulta herido de un disparo y Franco cesa al ministro de Educación, Joaquín Ruiz Jiménez, y al Secretario General del Movimiento, Raimundo Fernández Cuesta. Decretado el estado de excepción y detenidos una quincena de intelectuales y estudiantes relacionados con la protesta. • El Real Madrid gana la primera Copa de Europa de Fútbol; volverá a ganarla los cuatro años siguientes. • Prohibida la prostitución. • España ingresa en la Organización Internacional del Trabajo (OIT). • La familia de Juan Negrín, muerto en el exilio, entrega al Gobierno español los recibos de las entregas del oro enviado a la URSS en 1936. • Fuerte inflación debido a las subidas de sueldo decretadas por el Ministerio de Trabajo. • Comienzan las emisiones, en régimen de monopolio, de Televisión Española. • El Estado adquiere a particulares un 10 por 100 de las acciones de la agencia EFE. • El poeta Juan Ramón Jiménez, exiliado en Puerto Rico, premiado con el Nobel de Literatura. • Franco, apoyado por los tres Ejércitos, la Iglesia, los tradicionalistas y otros sectores del régimen, rechaza la propuesta de organización formal de un Estado totalitario que propone el ministro falangista José Luis de Arrese. • La Bolsa de Madrid alcanza el Índice 891,96, tras crecer un 278,1 por 100 en tres años. La renta variable constituye los dos tercios de la contratación bursátil.

1957 • España reclama Gibraltar en las Naciones Unidas. • Franco nombra un nuevo Gobierno que supone un retroceso para el poder de la Falange, sobre todo en los ministerios económicos. José Antonio Girón deja el ministerio de Trabajo después de 16 años, y Arrese pasa de la Secretaría General del Movimiento a Vivienda. • Graves inundaciones en Valencia, que causan 86 muertos y la destrucción de 300 edificios: unas cinco mil personas se quedan sin hogar. • Bandas de un *Ejército de Liberación* apoyado por Marruecos atacan Ifni, la zona sur del Protectorado y el Sáhara español. • Alemania, Francia, Italia, Bélgica, Holanda y Luxemburgo firman el Tratado de Roma, que pone en marcha el Mercado Común, conocido luego por Comunidad Económica Europea.

1958 • La presencia española en Ifni se reduce a un perímetro defensivo en torno a la capital y se pacta un alto el fuego con Marruecos. Madrid entrega la zona sur del Protectorado. Contraofensiva hispanofrancesa en el Sáhara, que derrota a las bandas y permite el control del territorio. La guerra supone a España 199 muertos, 573 heridos y 80 desaparecidos. • Ifni, Sahara, Rio Muni y Fernando Poo son declaradas provincias, con lo que el total de éstas asciende a 54. • Aprobada la Ley de Convenios Colectivos. • Inaugurado en Madrid el Centro Nacional de Energía Nuclear «Juan Vigón», que comienza la producción en España de isótopos radioactivos. • Promulgados los Principios Fundamentales del Movimiento, «permanentes e inalterables», que afirman la confesión católica del Estado, la Monarquía «tradicional, católica, social y representativa», y a la Familia, el Municipio y el Sindicato como «entidades naturales de la vida social», a través de las cuales se ordenará la participación del pueblo en la vida pública. • Se acentúa la crisis económica, que padece un grave déficit de la balanza de pagos con el exterior. • España ingresa en el Fondo Monetario Internacional y el Banco Mundial de Reconstrucción y Fomento.

1959 • Franco acepta el Plan de Estabilización Económica que le proponen los ministros Mariano Navarro Rubio y Alberto Ullastres, con el apoyo del Fondo Monetario

Internacional y Estados Unidos. El modelo económico autárquico, patrocinado por la Falange desde la Guerra Civil, deja paso a la economía de mercado. España ingresa en la OECE (actual OCDE). • Federico Martín Bahamontes es el primer español que gana el *Tour* de Francia. • Los ingresos por turismo sobrepasan los cien millones de dólares (128,6). • Una escisión del PNV da lugar a la fundación de *Euzkadi Ta Askatasuna* (Nación Vasca y Libertad), E.T.A., nueva organización nacionalista que reclama el uso de la violencia. • La ruptura de la presa de Vega de Tera (Zamora) inunda el pueblo de Ribadelago, donde mueren unas 150 personas. • El Presidente de Estados Unidos, Dwight Eisenhower, visita Madrid y mantiene un cordial encuentro con Franco. • El doctor Severo Ochoa, residente en Estados Unidos, recibe el Premio Nobel de Medicina junto con el estadounidense Arthur Kornberg. • Las cuentas del Estado presentan un déficit del 7,5 por 100. • El Índice de la Bolsa pierde un 24 por 100 en tres años y cae al 678,26.

1960 • Fuerte ajuste de la economía española. • La devaluación de la peseta y la prosperidad del centro y el norte de Europa Occidental comienzan a inundar a España de turistas. • Emigración masiva de trabajadores a la Europa próspera. • Vía libre a la instalación de empresas multinacionales. • La explosión de un artefacto situado en la estación de Amara (San Sebastián) mata el 27 de junio a la niña de 22 meses Begoña Urroz Ibarrola; aunque nadie se responsabilizó, un estudio efectuado por el vicario general de la diócesis de San Sebastián, José Antonio Pagola, señala que ésta fue la primera muerte causada por ETA. • Creadas en Guipúzcoa las tres primeras *ikastolas* (escuelas privadas en lengua vasca) de la postguerra. • Un total de 339 sacerdotes vasconavarros firman un documento sobre la «persecución de las características étnicas, lingüísticas y sociales que Dios dio a los vascos». • Muerto a tiros en San Celoni (Barcelona) el anarquista Francisco Sabater Llopart, considerado el último guerrillero en activo del *maquis*. • Franco y don Juan celebran en Las Cabezas su tercera y última entrevista política. El Príncipe Don Juan Carlos realizará también en España sus estudios universitarios. • España accede al Acuerdo General sobre Aranceles y Comercio (GATT), precedente de la Organización Mundial de Comercio (OMC). España ingresa también en el Centro Europeo de Investigaciones Nucleares. • La mortalidad infantil se reduce a 35,3 por 1.000 nacidos vivos.

Madrid, 12-11-1951.
Tienda de ultramarinos

Madrid, 2-6-1951.
El príncipe Juan Carlos durante un examen en el Instituto San Isidro

Madrid, 1952.
Una mula que tiraba de un carro cae delante del tranvía de la línea 17, que hace el recorrido
Cuatro Caminos-Vallecas

Madrid, 1952.
Vista de una calle de Madrid en la que aparecen un afilador y una castañera. Al fondo, una farmacia

Roma, 27-8-1953.
Firma del Concordato entre España y la Santa Sede. De izquierda a derecha, el ministro Martín Artajo, monseñor Tardini y el embajador Castiella

Valladolid, 4-6-1954.
Montaje de los motores en los turismos con patente francesa de Renault que se fabrican en la factoría FASA

Madrid, 15-2-1953.
Servicio militar. Quintos del
reemplazo del 53.
(Foto: Hermes Pato)

Madrid, 15-2-1953.
Servicio militar. Sorteo de los
quintos del reemplazo del 53.
(Foto: Hermes Pato)

San Rafael, hospital benéfico que desde su fundación por la Orden de San Juan de Dios, en 1892, se dedica a tratar y curar las enfermedades infantiles. En la foto, un grupo de niños acogidos en el Preventorio descansan en una de la habitaciones

Madrid, 1953.
Llega Ava Gardner

Barcelona, 2-4-1954.
Llegada al puerto de Barcelona del barco «Semíramis» con ex prisioneros de la División Azul. (Foto: Carlos Pérez de Rozas)

Madrid, noviembre de 1955.
Venta de calzado

Zaragoza, 15-12-1955.
El príncipe Juan Carlos de Borbón jura bandera en la Academia General Militar de Zaragoza

París, 14-6-1956
Los jugadores del Real Madrid dan la vuelta al campo de juego con la Copa de Europa, brillantemente conquistada frente al Stade de Reims en el Parque de los Príncipes, momentos después de finalizar el partido

Madrid, 4-4-1956. *Mohamed V, Sultán de Marruecos, visita oficialmente la península para firmar los acuerdos por los que España reconoce la independencia de Marruecos*

San Esteban del Sil (Orense), 24-9-1956. *El jefe del Estado, Francisco Franco, acompañado por su esposa, Carmen Polo; los ministros de Obras Públicas, Fernando Suárez de Tangil; e Industria, Joaquín Planell Riera; el obispo de la diócesis, Angel Temiño; el presidente del Consejo de Administración de Saltos del Sil, Ignacio Villalonga y otras personalidades, inauguran la central hidroeléctrica de San Esteban del Sil. (Foto: Jaime Pato)*

16-12-1958.
Francisco Franco de pesca en el yate «Azor»

Sada (La Coruña),
agosto 1958.
El yate «Azor» ha fondeado en este puerto con un cachalote de 14 metros de largo y 28.000 kg de peso, capturado por el jefe del Estado durante el crucero de pesca deportiva que acaba de realizar desde San Sebastián a las Rías Gallegas

Sáhara Español, febrero de 1958.
Fuerzas de la Agrupación B, al mando del coronel Campos y dotadas con tanques M-24, envuelven a las bandas del Ejército de Liberación desplazándose por el norte del Sáhara Español

Ifni.
Tiradores de Ifni asaltan una posición enemiga

Ifni, 1957.
Soldados destacados en una
posición española durante
un descanso

Madrid, 10-4-1958.
La embajada de Estados Unidos y el Catholic Relief Service entregan colchones a familias necesitadas españolas. (Foto: Hermes Pato)

Ribadelago (Zamora), 16-1-1959.
Los habitantes de Ribadelago reciben ayuda después de que su pueblo fuera arrasado por las aguas, a consecuencia de la rotura de la presa «Vega de Tera». (Foto: Hermes Pato)

La Habana (Cuba), 20-1-1960.
El embajador de España en Cuba, Juan Pablo Lojendio, frente al primer ministro cubano Fidel Castro
en los estudios Telemundo de la Televisión. Lojendio reacciona con energía contra las acusaciones
del segundo contra España y sus religiosos

Madrid, 22-5-1959.
El escritor americano Ernest Hemingway acude una vez más a la plaza de toros de las Ventas para asistir
a la corrida de la feria de San Isidro. En esta ocasión, su gran amigo el torero Antonio Ordóñez presenció
el espectáculo desde la barrera

Madrid, 22-12-1959.
Franco despide al presidente Eisenhower, en la base aérea de Torrejón. Entre ambos el general Vernon Walters, intérprete de Eisenhower. A la izquierda el ministro de Asuntos Exteriores, Fernando María de Castiella. (Foto: Jaime Pato)

1960.
*Prohibido jugar con paletas
en la playa.* (Pie de foto
original)

Madrid, 23-5-1960.
*Los jugadores del Real
Madrid llegan a la capital con
la V Copa de Europa
conseguida al ganar al
Eintracht por 7 a 3 en
Glasgow*

Madrid, 17-9-1960.
Escenas de Madrid. Monjas y un perro. (Foto: Iglesias)

1 9 6 1 - 1 9 7 0

Adiós a la penuria

1961 • Éxito del Plan de Estabilización, que consigue un crecimiento de la economía superior al 10 por 100. Comienza a hablarse del «milagro» español. • La mecanización agraria y la industrialización acentúan las migraciones interiores, con Madrid, Cataluña y País Vasco como principales destinos. • Los ingresos del turismo, las remesas de los emigrantes que trabajan en el centro de Europa y las inversiones extranjeras permiten equilibrar la balanza económica exterior. El número de visitantes extranjeros alcanza los 7 millones. • El tenista Manuel Santana gana en París el trofeo *Roland Garros*. • Una ley establece la igualdad de derechos políticos de hombres y mujeres, así como el acceso a la función pública, excepto en los Ejércitos y la Administración de Justicia. • Permitida la convertibilidad exterior de la peseta, a un cambio de 60 pesetas por dólar. • Empieza la comercialización de ordenadores, a cargo de la empresa norteamericana IBM. • Finaliza la retirada militar española de Marruecos. • Franco sufre heridas en una mano por un accidente de caza. • La Bolsa de Madrid supera el índice 1.000 (1.024,11), tras crecer el 380,4 por 100 en un solo año.

1962 • El Gobierno español solicita a la presidencia de la Comunidad Económica Europea (actual Unión Europea) «una asociación, susceptible de llegar en su día a la plena integración». • El Príncipe Juan Carlos contrae matrimonio en Atenas con la Princesa Sofía de Grecia. Ambos aceptan la invitación de Franco para instalarse en el Palacio de la Zarzuela (Madrid). • Grandes huelgas en la minería asturiana y la industria vasca. • Se crea el Comisariado del Plan de Desarrollo, a cuyo frente es situado el catedrático de Derecho Administrativo Laureano López Rodó, Secretario General Técnico de la Presidencia del Gobierno desde 1956. • El Teniente General Agustín Muñoz Grandes es nombrado vicepresidente del Gobierno, cargo que no existía desde 1939. • Ley de Ordenación Bancaria, que permite a las Cajas de Ahorro efectuar operaciones reservadas hasta entonces a los bancos. • Un total de 118 miembros de la oposición democrática —80 residentes en España y 38 en el exilio— asisten en Munich (Alemania) al Congreso del Movimiento Europeo y solicitan al Mercado Común que no admita a España hasta que sus instituciones políticas no sean democráticas. Asisten, entre otros, Salvador de Madariaga (liberal), José María Gil-Robles (democristiano), Dionisio Ridruejo (ex falangista), Íñigo Cavero (democristiano, futuro ministro de UCD y presidente del Consejo de Estado), Fernando Álvarez de Miranda (democristiano, futuro presidente del Congreso), Joaquín Satrústegui (monárquico), José Federico de Carvajal (futuro Presidente del Senado), Antonio García López (socialdemócrata), Rafael Pérez Escolar (notario, independiente), Antonio de Senillosa (monárquico), Julián Gorkin (ex POUM), Manuel de Irujo (PNV) y Rodolfo Llopis (PSOE). El Gobierno organiza una campaña de prensa contra ellos y sanciona a los participantes que regresan a España con multas y un periodo de confinamiento en distintas islas Canarias. • Muere en México Indalecio Prieto. • Graves inundaciones en Barcelona, que causan cerca de 300 muertos y daños a numerosas industrias. • Rápido aumento del grado de apertura de la economía española, que alcanza el 20 por 100 del PIB, frente al 13 por 100 de 1959.

1963 • Renovados por cinco años los Acuerdos con Estados Unidos. Submarinos nucleares estratégicos, dotados con misiles balísticos, utilizarán la base de Rota. • El Gobierno reitera su interés por iniciar negociaciones con el Mercado Común. • La ejecución del dirigente comunista Julián Grimau, por supuestos delitos cometidos durante la

Guerra Civil, da origen a numerosas protestas en varios países europeos. • Creado el Tribunal de Orden Público, que reduce las competencias de la jurisdicción militar y juzgará, entre otros, los «delitos» de asociación ilícita y propaganda ilegal. • Más de diez millones de turistas llegan a España. • Con ayuda oficial se restablece y renueva la producción industrial catalana. • Constituido un régimen de autonomía en Guinea Ecuatorial. • Se establece por vez primera el salario mínimo interprofesional, en una cuantía de 60 pesetas diarias. • La Iglesia reconoce el derecho de cada comunidad a expresarse litúrgicamente en su propio idioma: el latín cede el paso al castellano y antes de que termine el decenio se oficiarán cultos en catalán, vascuence y gallego. • La Bolsa de Madrid supera por vez primera los 10.000 millones de pesetas de contratación anual, de los cuales el 74,87 por 100 corresponden a títulos de renta variable.

1964 • Entra en vigor el I Plan de Desarrollo, con una vigencia de cuatro años durante los cuales la economía crecerá algo más del 6 por 100 anual acumulativo. • Campaña oficial de «XXV años de paz», al cumplirse un cuarto de siglo del final de la Guerra Civil. La propaganda oficial utiliza, por vez primera desde la guerra, el catalán y el vascuence. • Franco invita al Príncipe Juan Carlos a que le acompañe en la presidencia del desfile anual de la Victoria. • España gana a Rusia en la final de la Copa de Europa de Fútbol por Naciones. • Comienzan las negociaciones con la Comunidad Económica Europea. • El sindicato clandestino Comisiones Obreras, cuyos inicios datan de conflictos producidos a mediados de los años 50 en Vizcaya y Asturias, empieza a organizar una estructura estable en Madrid y Barcelona.

1965 • Con el nombramiento de Alberto Ullastres como Embajador ante el Mercado Común se consolidan las negociaciones con la institución europea. • Fundado el sindicato clandestino Unión Sindical Obrera (USO). • La protesta estudiantil consigue la desaparición del Sindicato único falangista: el Sindicato Español Universitario (SEU). • La finalización en Roma del Concilio Vaticano II abre nuevas perspectivas a la actuación de la Iglesia Católica. • Aprobado un plan de modernización del Ejército de Tierra. • El Gobierno expulsa a tres catedráticos de Universidad (José Luis López Aranguren, Enrique Tierno Galván y Agustín García Calvo) por participar en una manifestación estudiantil. • Los ingresos por turismo superan los mil millones de dólares.

1966 • La agencia EFE abre en Buenos Aires su primera delegación internacional. En los siguientes doce meses abrirá un total de 16 delegaciones en cuatro continentes, en un proceso que culminará a finales de los años 70. El Estado aumenta de forma progresiva su participación en el capital social. • En virtud de un decreto del Concilio Vaticano II se funda la Conferencia Episcopal Española, a la que pertenecen todos los obispos, tanto los titulares de diócesis como los auxiliares. • El choque en vuelo de un bombardero y un avión cisterna norteamericanos supone la caída de cuatro bombas termonucleares sobre Palomares (Almería); una de ellas se hunde en el mar y son necesarios 80 días para recuperarla. El ministro de Información y Turismo, Manuel Fraga, se baña en aguas de Palomares con el embajador de Estados Unidos y el accidente no tiene repercusión en el turismo, con una cifra de visitantes que llega a los 17 millones. • Entra en vigor la Ley de Prensa e Imprenta, que supone la sustitución de la censura previa por un sistema de sanciones. El número de títulos editoriales en catalán alcanza la cifra de 400. • Se generalizan las protestas de clérigos contra la política del Gobierno. Los seminarios sufren una crisis que en apenas dos años supondrá el abandono de la mayor parte de los seminaristas. La creciente politización abre una crisis en Acción Católica y sus organizaciones obreras afines (HOAC, JOC), que en poco tiempo significará su práctica desaparición o la integración en organizaciones políticas y sindicales ajenas a la Iglesia. • Estudiantes de izquierda fundan en la Universidad Central de Barcelona el primer sindicato democrático de estudiantes (SDEUB). Fracasan las Asociaciones Profesionales propuestas por el Gobierno como alternativa al SEU. • Aprobada en referéndum la Ley Orgánica del Estado, de rango fundamental (constitucional), que permite la elección directa de una minoría de los miembros de las Cortes, determina los poderes del futuro Rey y establece un sistema de reforma de las Leyes Fundamentales. Votaron a favor el 95,86 por 100 de los que emitieron su voto, equivalentes al 85,5 por 100 del censo. • España interrumpe el tráfico de mercancías con la colonia británica de Gibraltar. • Un decreto establece el indulto para todas las sanciones impuestas en aplicación de la Ley de Responsabilidades Políticas de 1939. • La llamada «Escuela de Bayona» propone un vascuence unificado (*Euskara Batua*) para su enseñanza en las *ikastolas*. Entre los numerosos cambios ortográficos que establece, *lendakari* pasa a ser *lehendakari* y *Euzkadi*, *Euskadi*.

1967 • Significativo aumento de la protesta universitaria y de las huelgas. Estado de excepción en Vizcaya. Ingresa en prisión el líder de Comisiones Obreras, Marcelino Camacho, que es también dirigente del Partido Comunista. Fundado el sindicato democrático de estudiantes de la Universidad de Madrid (SDEUM). • El Vicealmirante Luis Carrero Blanco sustituye en la vicepresidencia del Gobierno al Teniente General Muñoz Grandes. • Autorizado el acceso de las mujeres a la carrera judicial. • Legalizada la asociación catalanista Omniun Cultural. • Primeras elecciones directas a Procuradores a Cortes por el Tercio Familiar. • El Ministerio de Información impone 72 sanciones a la prensa. • La *nova cançó* catalana simboliza el fuerte resurgir de las lenguas regionales. • Aprobada la Ley de Libertad Religiosa. • Firmado un Acuerdo Comercial con Rumanía, el primero con un país comunista, al que seguirán otros en los años siguientes. • Las cuentas del Estado vuelven a presentar un importante déficit, equivalente al 5,1 por 100 de sus gastos. Devaluación de la peseta (70 por dólar) y plan de austeridad.

1968 • Entra en vigor el II Plan cuatrienal de Desarrollo, con un crecimiento anual previsto del 5,5 por 100. • Nace el Príncipe Felipe, primer hijo varón de los Príncipes Juan Carlos y Sofía, lo que le convierte en heredero de la dinastía española. La Reina Victoria Eugenia vuelve a España, por primera y única vez desde 1931, para amadrinar a su biznieto. • Se agudizan las protestas estudiantiles en la Universidad. • El Ministro de Información y Turismo, Manuel Fraga, cierra por cuatro meses el diario *Madrid*, afín a la monarquía representada por don Juan de Borbón, y entrega el diario *El Alcázar*, de línea liberal y editado por una empresa privada, a la hermandad de defensores del Alcázar de Toledo, de ideas ultraderechistas. • Visitan España más de 20 millones de turistas. • El número total de sanciones a la prensa asciende durante el año a 91. • La organización separatista vasca ETA comete sus dos primeros asesinatos: un Guardia Civil de Tráfico y un Comisario de Policía. • Franco inaugura la primera central nuclear española de producción de energía eléctrica, en Zorita de los Canes (Guadalajara). • Crisis de las relaciones hispano-norteamericanas, que impide renovar los Acuerdos y amenaza la continuidad de la presencia militar de Estados Unidos en España. • Guinea Ecuatorial elige como presidente a Francisco Macías y se convierte en un país independiente. A las pocas semanas Macías emprende una campaña de radicalismo verbal contra la colonización y la presencia de fuerzas militares y policiales españolas, cuya actuación está regulada mediante un protocolo secreto. • Con motivo de la inauguración en Madrid de una nueva sinagoga, una orden del ministerio de Justicia dispone la abolición formal del Edicto de Expulsión de los judíos dictado por los Reyes Católicos en 1492, el cual llevaba más de un siglo en desuso. • Expulsado de España el pretendiente carlista, Carlos Hugo de Borbón-Parma, y su familia. • El plan de austeridad económica permite situar el IPC en un crecimiento de sólo el 2,9 por 100. • La Bolsa crece el 32,1 por 100 en un año y se sitúa en el Índice 2.233,81.

1969 • Estado de excepción durante dos meses en toda España, a causa de los desórdenes universitarios. Varios centenares de miembros de la oposición al régimen son confinados durante ese tiempo en lugares remotos, y se restablece asimismo la censura previa de la prensa. • Ruptura de relaciones con Guinea Ecuatorial, donde un residente español muere por los disparos de un control y el presidente Macías reprime un intento de golpe de Estado. Bajo la protección de la Armada se lleva a cabo la evacuación de las tropas y de la práctica totalidad de los residentes españoles. • Se declaran extinguidas, al cumplirse los 30 años, todas las responsabilidades penales de la Guerra Civil.

• España cierra la frontera con la colonia de Gibraltar. • Fallece en Lausana (Suiza) la Reina Victoria Eugenia, viuda de Alfonso XIII. • Retrocesión a Marruecos del territorio de Ifni. Inauguradas en la provincia de Barcelona las primeras autopistas de peaje, Barcelona-Granollers y Mongat-Mataró. • Franco propone como sucesor, a título de Rey, al Príncipe Juan Carlos, ante un pleno de las Cortes en el que se producen 491 votos a favor, 19 en contra y 9 abstenciones. Don Juan Carlos acepta el nombramiento y recibe el título de Príncipe de España. Don Juan de Borbón protesta la decisión, pero disuelve el Consejo Privado que le asesoraba desde los años 40. • Estalla el escándalo MATESA, empresa de maquinaría textil que había recibido numerosos créditos oficiales a la exportación y parte de cuyas ventas resultan ficticias. • El 90 por 100 de los españoles saben ya leer y escribir. • La inflación —3,4 por 100 anual— vuelve a presentar tendencia al alza. • El Índice de la Bolsa de Madrid crece un 55,74 por 100 y llega al 3.478,85.

1970 • Firma de un Acuerdo entre España y la Comunidad Económica Europea, que favorecerá en los años siguientes los intercambios comerciales y el desarrollo económico español. • Tres saharauis muertos y numerosos heridos durante una manifestación en El Aaiún. • Nuevo Acuerdo con Estados Unidos, que otorga a España la plena titularidad de las antiguas bases «de utilización conjunta». Visita oficial del Presidente norteamericano Richard Nixon. • Aprobadas la Ley General de Educación, que generaliza la enseñanza pública, y la nueva Ley Sindical, que favorece la libre elección de representantes. • Una ley promovida por el ministro de Trabajo, Licinio de la Fuente, y la Delegada Nacional de la Sección Femenina, Pilar Primo de Rivera, establece la igualdad salarial de hombres y mujeres, que se aplicará de manera plena a partir de 1972. • Intenso proceso de secularización de sacerdotes y religiosos, que no «tocará fondo» hasta 1984. • ETA comete su primer secuestro: el cónsul honorario de Alemania en San Sebastián, Eugen Beihl, liberado después de veinte días. • Un Consejo de Guerra celebrado en Burgos contra 16 miembros de ETA condena a pena de muerte a seis de ellos. Con el respaldo casi unánime del Gobierno y del Consejo del Reino, Franco concede el indulto en todos los casos. Durante la crisis motivada por el juicio, un nuevo servicio de inteligencia vinculado a la Presidencia del Gobierno convoca y organiza manifestaciones de apoyo a Franco, que evocan las de los años 40. • La mortalidad infantil es de 20,78 por mil. • Tras el acusado crecimiento de los años 60 España se ha incorporado a las sociedades de consumo: el 69 por 100 de los hogares dispone de frigorífico (4 por 100 en 1960), el 74 por 100 de televisor (1 por 100 en 1960), el 40 por 100 teléfono (12 por 100 en 1960) y el 35 por 100 de automóvil (4 por 100 en 1960). • Vuelve el déficit a las cuentas del Estado: 4,3 por 100 de los gastos.

Madrid, 27-2-1961.
El jefe del Estado, Francisco Franco, saluda con una caricia a su nieto José Cristóbal a su llegada a El Pardo tras el accidente sufrido con su escopeta de caza. Aparecen también la nieta mayor, Carmen Martínez Bordiú, Carmen Polo de Franco y el ministro subsecretario de la Presidencia, Luis Carrero Blanco

Madrid, 1-2-1961.
El ministro secretario general del Movimiento, José Solís Ruiz, entrega los Premios Sindicales de Cinematografía. En la foto, Marisol recibe una mención honorífica por su participación en la película de Luis Lucía «Un rayo de luz»

Madrid, 17-3-1961.
Rodaje de algunas escenas de la película «El Cid». En la foto, de izquierda a derecha, el actor Charlton Heston, Félix Rodríguez de la Fuente y Ramón Menéndez Pidal. (Foto: Jaime Pato)

Vallauris (Francia), 1961.
Picasso y su esposa Jacqueline junto a Jean Cocteau y el torero Luis Miguel Dominguín, el día del 80 cumpleaños del pintor

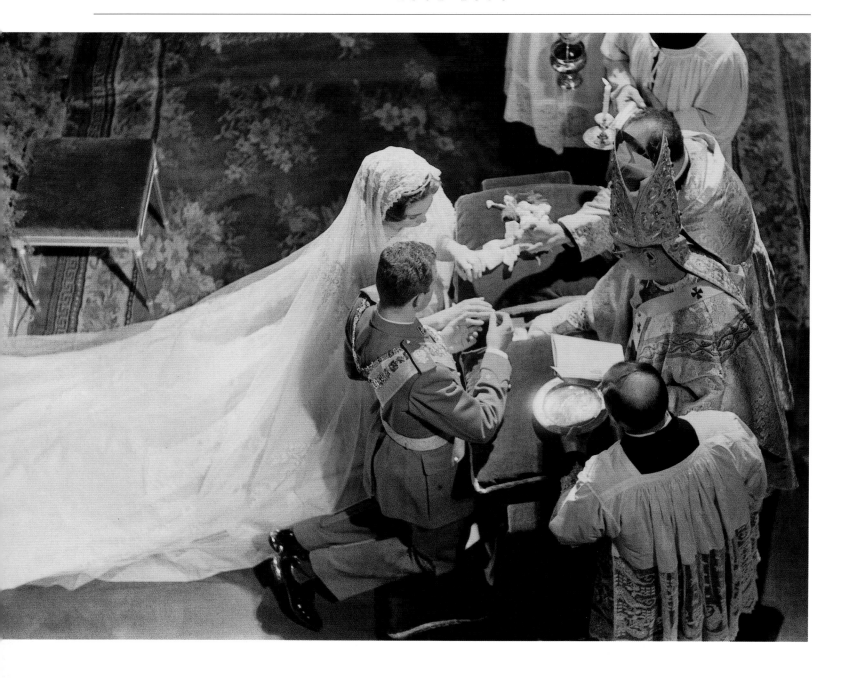

Atenas, 14-5-1962.
*Boda del Príncipe Juan
Carlos con la princesa Sofía
de Grecia. Ceremonia
católica celebrada en la
Iglesia de San Dionisio.*
(Foto: Jaime Pato)

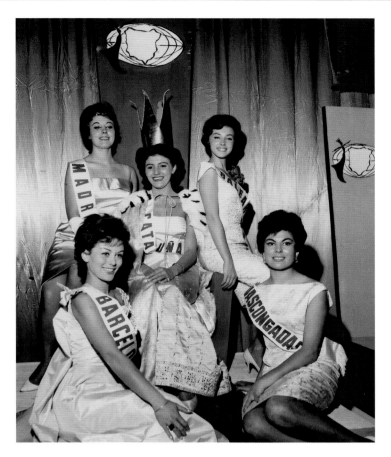

Madrid, 14-5-1961.
En el Cine Carlos III es elegida Miss España Carmen Cervera. En la foto, acompañada de sus damas de honor. (Foto: Jaime Pato)

Tarrasa, 5-11-1962.
Graves inundaciones en Cataluña provocaron centenares de muertos. En la imagen, evacuación en el barrio de Can Mullot y grupo San Lorenzo

Montejurra (Estella, Navarra),. 5-5-1963.
Reunión de ex-combatientes requetés de todas las regiones españolas en el histórico Montejurra. En la
fotografía, carlistas navarros portan crucifijos en la plaza de Estella, poco antes de emprender la peregrinación.
(Foto: Luis Millán)

Pontevedra, 2-4-1964.
Actos conmemorativos de los
XXV Años de Paz

Madrid, 1-4-1964. *Un abuelo y su nieto ante el cartel conmemorativo de los XXV Años de Paz.* (Foto: Luis Alonso)

Barcelona, 16-3-1964.
Una monja circula en motocicleta por la Ciudad Universitaria

Madrid, 23-4-1964.
*El marqués de Villaverde y
sus hijas bailan el «Madison»*

Barcelona, julio 1965.
*Los Beatles a su llegada a
Barcelona, tocados con
monteras toreras. De derecha
a izquierda, Paul Mc Cartney,
John Lennon, Ringo Starr y
George Harrison*

Almería, 8-3-1966.
Manuel Fraga, ministro de Información y Turismo, se baña en Palomares para demostrar que no existe radioactividad. (Foto: Luis Alonso)

Salamanca, 14-6-1966.
Detención de El Lute, tras fugarse de un tren en marcha. (Foto: Ángel Esteban)

Wimbledon (Londres),
1-7-1966.
*El tenista español
Manuel Santana
levanta la copa que
recibió de manos de
la princesa Marina de
Kent, después de
vencer al americano
Dennis Ralston en el
Torneo de Wimbledon*

Madrid, 30-1-1968.
*Presentación oficial
del infante Felipe de
Borbón y Grecia, tras
su nacimiento en la
Clínica de Nuestra
Señora de Loreto.*
(Foto: Luis Millán)

Madrid, 8-2-1968.
Bautizo del infante Felipe de Borbón en el Palacio de la Zarzuela; son padrinos la reina Victoria Eugenia y don Juan de Borbón.
(Foto: Olegario Pérez de Castro)

Madrid, 8-2-1968.
Francisco Franco y el historiador Jesús Pabón durante el bautizo del príncipe Felipe, en el Palacio de la Zarzuela. Ambos ríen al recordar las vacilaciones del Capitán General de Valencia, Alberto Castro Girona, cuando en enero de 1929 el político conservador José Sánchez Guerra intentó en la capital levantina un golpe militar contra el dictador Primo de Rivera. Por entonces Franco y Pabón vivían en Zaragoza, el primero como director de la Academia General Militar y el segundo como catedrático.
(Foto: Luis Alonso. Premio Nacional de Fotografía)

Londres, 6-4-1968.
La cantante Massiel, ganadora del Festival de Eurovisión, con Manolo y Ramón (Dúo Dinámico), autores de la
canción «La, La, La». A la derecha, el cantante británico Cliff Richard, que fue segundo con «Congratulations»

Madrid, 17-5-1968.
Manifestación de estudiantes en la Facultad de Ciencias de la Ciudad Universitaria, vigilados por agentes de la Policía Armada a caballo

Madrid, 23-7-1969.
*El príncipe Juan Carlos de
Borbón pronuncia el discurso
de aceptación como sucesor
a la Jefatura del Estado, en
una ceremonia que tuvo lugar
en el Palacio de la Zarzuela y
a la que asistieron los
miembros de la Familia Real;
el presidente de las Cortes
Españolas y del Consejo del
Reino, Antonio Iturmendi
Bañales, y el ministro de
Justicia, Antonio María de
Oriol y Urquijo*

Madrid, 23-7-1969.
*Franco toma juramento al príncipe Juan Carlos de Borbón, tras haberle propuesto el día 22 como sucesor en la Jefatura del Estado a título de
Rey. La propuesta tuvo 491 votos a favor, 19 en contra y 9 abstenciones*

Madrid, 2-10-1970.
El presidente de los Estados Unidos de América, Richard Nixon, visita oficialmente España. Recorre las calles junto al Jefe de Estado

Madrid, 17-12-1970.
Manifestación de afirmación nacional en la Plaza de Oriente. En el balcón, Franco, los Príncipes de España y miembros del Gobierno. (Foto: Olegario Pérez de Castro)

Burgos, 3-12-1970.
Gregorio Peces Barba, Juan María Bandrés y Echevarrieta, abogados defensores del Proceso de Burgos, convocan una rueda de prensa

Las Palmas de Gran Canaria, 29-12-1970.
Navidades al sol

1971-1980

Bienvenida, democracia

1971 • Una Asamblea Conjunta de Obispos y sacerdotes —algunas de cuyas conclusiones serán desautorizadas luego por la Santa Sede— aprueba un *mea culpa* por no haber sido siempre «ministros de la reconciliación» durante la Guerra Civil. • Segundas y últimas elecciones a procuradores del tercio familiar. • Franco cumple 35 años en la Jefatura del Estado; gran manifestación de homenaje en Madrid. • El Ministro de Información y Turismo, Alfredo Sánchez Bella, ordena el cierre del diario *Madrid*, por supuestas irregularidades empresariales. • La *Asamblea de Cataluña* reúne en un programa común a numerosos colectivos políticos y sociales de la oposición. • España se incorpora, por medio de la empresa Construcciones Aeronáuticas, al consorcio Airbús. • Fundados el Instituto para la Conservación de la Naturaleza (ICONA) y el Instituto Nacional de Reforma y Desarrollo Agrario (IRYDA). • Superados por vez primera los 1.000 dólares de renta *per capita*. • Los ingresos por turismo rebasan los dos mil millones de dólares.

1972 • Entra en vigor el III Plan de Desarrollo; la economía crece durante sus dos primeros años a un ritmo del 8 por 100. • El fusilamiento de un soldado, autor del asesinato de dos mujeres, pone fin a un periodo de más de cinco años en el que no se había ejecutado ninguna pena capital, el más prolongado de la historia de España. • La nieta mayor de Franco, Carmen Martínez-Bordiú, contrae matrimonio con Alfonso de Borbón Dampierre, hijo del Infante don Jaime y nieto mayor de Alfonso XIII. • Superados los 30 millones de turistas. • Los socialistas del interior se imponen a los del exilio en el Congreso que el PSOE celebra en Toulouse (Francia). • El Jefe del Estado cumple 80 años. • La peseta se revaloriza frente a un dólar desgastado por la guerra de Vietnam. • Entra en funcionamiento la central nuclear de Vandellós, con tecnología francesa, que utiliza uranio natural y produce plutonio. • La Policía Municipal de Madrid admite, por vez primera en España, mujeres en sus filas. • Detenida en un convento de Madrid, donde celebraba una reunión, la dirección de Comisiones Obreras. • Se crea el Servicio Central de Documentación (SECED), organización de inteligencia adscrita a la Presidencia del Gobierno, integrada por unos 200 jefes y oficiales militares al mando del Comandante de Artillería José Ignacio San Martín. • La presión fiscal supera por vez primera el 20 por 100. • El Índice de la Bolsa de Madrid crece el 35,4 por 100 y llega al 5.061,98.

1973 • Un documento de la Conferencia Episcopal Española reclama una efectiva pluralidad de opciones políticas. • ETA secuestra y asesina en el País Vasco francés a tres jóvenes gallegos. • El director español Luis Buñuel recibe el *Oscar* de la Academia de Cine de Hollywood por la película «El discreto encanto de la burguesía», de producción francesa.

• El Gobierno anuncia su disposición favorable a la autodeterminación, sin plazo determinado, del Sahara Occidental. Marruecos reclama el territorio y extiende sus aguas territoriales a 70 millas, con grave perjuicio para los pescadores españoles. • La Junta de Defensa Nacional pone en marcha el proyecto secreto «Miura»: desarrollo de un arma nuclear. • ETA secuestra al empresario navarro Felipe Huarte, cuya familia paga un rescate por su liberación. • Muere en Vizcaya, en un encuentro con la Policía, Eustaquio Mendizábal, jefe del *frente militar* de la banda terrorista ETA. • El primer asesinato del grupo de extrema izquierda FRAP —un joven subinspector acuchillado en Madrid— provoca una manifestación de policías y la dimisión del ministro de la Gobernación, General Tomás Garicano. • Saharauis apoyados por Argelia fundan el Frente Polisario, que reclama la independencia del Sáhara e inicia hostigamientos armados contra la Policía Indígena y las tropas españolas. • Franco cede la Presidencia del Gobierno al Almirante Carrero Blanco. • Se produce en Pamplona la primera huelga general desde la Guerra Civil. • La peseta vuelve a revalorizarse frente al dólar. • La población activa dedicada a la industria supera por vez primera a la ocupada en la agricultura y la pesca. • Las *ikastolas* cuentan ya con veinte mil alumnos. • El Gobierno no autoriza la escala de los aviones del *puente aéreo* norteamericano que transportan suministros militares a Israel durante la guerra del Yom Kippur, aunque permite su reabastecimiento en vuelo por aviones que despegan de las bases españolas. • La fuerte subida del precio del petróleo por el *cartel* de países exportadores produce una crisis generalizada a la que no escapa la economía española. • La inflación anual se dobla en un año y llega al 14,2 por 100, según el Índice de Precios al Consumo. • ETA asesina en Madrid al Presidente Carrero Blanco, su conductor y un policía de escolta; fuerte conmoción política en la sociedad española. Franco designa como nuevo presidente al ministro de la Gobernación, Carlos Arias Navarro; es el primer civil que ocupa el cargo desde 1936. • Juzgados y condenados a penas de entre 12 y 20 años de prisión los dirigentes del sindicato clandestino Comisiones Obreras, dominado por el Partido Comunista. El también sindicato clandestino UGT elige secretario general a Nicolás Redondo. • Por última vez en el siglo la cuenta de las Administraciones Públicas registra superávit. El gasto público equivale al 23,95 por 100 del PIB. • Los ingresos por turismo superan los tres mil millones de dólares. • La contratación bursátil en la Bolsa de Madrid supera por vez primera los 100.000 millones de pesetas: el 86,62 por 100 corresponde a acciones, el 6,28 por 100 a obligaciones y sólo el 7,09 por 100 a efectos públicos. El Índice al finalizar el año es el 5.877,44, máximo histórico del régimen de Franco.

1974 • El Presidente Arias presenta su programa de Gobierno ante las Cortes y anuncia una apertura política: la personalidad política de Franco es insustituible, por lo que después de él su régimen de autoridad deberá dejar paso a otro basado en la participación. • La ejecución del joven libertario catalán Salvador Puig Antich, condenado por la muerte de un policía, es la primera de un activista político que se lleva a cabo desde la ejecución de dos anarquistas en 1963. • La prensa comienza una etapa de fuerte dinamismo, a pesar de las sanciones. • La información y colaboración del vasco exiliado en Francia Joaquín María de Azaola, afín al PNV y colaborador de ETA, permite a la Policía impedir el secuestro en Mónaco de los Príncipes de España, la hija de Franco y, en una segunda fase, de don Juan de Borbón, a quien la banda terrorista vigilaba en Montecarlo. • Franco, hospitalizado por una flebitis, cede las funciones de Jefe del Estado, durante mes y medio, al Príncipe de España, don Juan Carlos. • Se funda en París la Junta Democrática, formada por el Partido Comunista, otros grupos de la oposición e independientes. • Quiebra la empresa de apartamentos turísticos Sofico, donde habían invertido 16.000 ahorradores. • Comienza la explotación, por una empresa pública, del rico yacimiento saharaui de fosfatos de Bu Craa. Marruecos y el Polisario intensifican la presión en el Sáhara. Recurso de Rabat ante el Tribunal Internacional de La Haya para evitar un referéndum de autodeterminación. • Sensible aumento de las acciones terroristas de ETA: una bomba en una cafetería de Madrid situada junto a la Dirección General de Seguridad causa la muerte de doce ciudadanos anónimos. Desmantelada en Madrid una red de apoyo a ETA formada por militantes de partidos de izquierda. Durante el año la banda terrorista asesinó a otras seis personas. • Fundación en el monasterio de Montserrat (Barcelona) de Convergencia Democrática de Cataluña. • El Partido Socialista Obrero Español celebra un Congreso en Suresnes (París) y elige nuevo secretario general al joven abogado sevillano Felipe González. • Presionado por la ultraderecha, Franco cesa al Ministro de Información y Turismo, Pío Cabanillas. El titular de Hacienda, Antonio Barrera de Irimo, y el presidente del INI, Francisco Fernández Ordóñez, dimiten por solidaridad. • El PSOE, el PNV, los demócratas cristianos y otros grupos políticos constituyen en Madrid la Plataforma de Convergencia Democrática, alternativa a la Junta que lidera el PCE. Detenidos y puestos en libertad a las pocas horas los principales dirigentes de la Plataforma. • Un cohete norteamericano Delta pone en órbita al primer satélite español, el INTASAT, dedicado a la investigación científica. • Lanzado con éxito el cohete de dos fases INTA 300. • El Consejo Nacional del Movimiento aprueba, con tres abstenciones, el Estatuto de Asociaciones Políticas, que por vez primera desde 1937 regula el derecho de asociación política. • La inflación sigue creciendo y llega al final de año a un IPC del 17,9 por 100. • Superados los dos mil dólares de renta per capita. • Comienza un trienio de fuertes alzas salariales que encarece de forma significativa el factor trabajo y contribuye a desencadenar un largo proceso de cierres de empresas y destrucción de empleo. La ganancia media por hora trabajada crece este año el 26,7 por 100, casi nueve puntos más que el IPC.

1975 • Significativo fracaso del Estatuto de Asociaciones, tras la negativa a colaborar por una parte significativa de la clase política del régimen, en protesta por la promoción de una asociación *oficial*: la Unión del Pueblo Español, que recibe apoyos y facilidades por parte de la Secretaría General del Movimiento. • El Tribunal Supremo reduce significativamente las penas que el Tribunal de Orden Público había impuesto a la dirección de Comisiones Obreras. • Suprimida la tutela marital para las mujeres. • España elegida por mayoría, en las

Naciones Unidas, como sede de la Organización Mundial del Turismo. • El número de *ikastolas* en las provincias vascas y Navarra alcanza la cifra de 160. • Legalizado el derecho a la huelga, después de varios años en los cuales su penalización resultaba inaplicable. • Comisiones Obreras logra un considerable avance en las elecciones sindicales. • La mayoría de los saharauis aclaman al Polisario durante la visita de una comisión oficial de la ONU. Menudean los pequeños incidentes con polisarios y marroquíes en el Sáhara. • Visita oficial del presidente norteamericano Gerald Ford. • Detenidos un comandante y ocho capitanes (todos del Ejército de Tierra, excepto uno del Aire), acusados de pertenecer a la organización clandestina Unión Militar Democrática. • La crisis económica hace aumentar el paro y se pierde el pleno empleo. • Ofensiva terrorista de ETA y el FRAP, que en los ocho primeros meses del año asesinan a doce policías y dos civiles. El Gobierno aprueba un severo Decreto-Ley contraterrorista. Once militantes de ETA y del FRAP condenados a muerte por diversos Consejos de Guerra; cinco de ellos (dos de ETA y tres del FRAP) son fusilados. Fuertes protestas en Europa contra el régimen español; varios países retiran a sus embajadores. Manifestación de apoyo a Franco en Madrid. Ese mismo día otra banda terrorista de extrema izquierda, el GRAPO, hace su aparición con el asesinato de cuatro policías. Un grupo contraterrorista atenta en Francia contra un miembro de ETA. Un total de 25 personas morirán en atentados terroristas durante el año. • El Tribunal de La Haya dicta una sentencia ambigua y el Rey de Marruecos, Hassán II, organiza una «Marcha Verde» de 300.000 personas hacia el Sáhara Occidental. • Franco sufre un infarto de miocardio y su estado se agrava rápidamente con otras dolencias. El Príncipe Juan Carlos asume de nuevo las funciones de Jefe de Estado. • Un fuerte despliegue militar y las negociaciones emprendidas entre los Gobiernos español y marroquí frenan la «Marcha Verde» en la frontera del Sáhara. Las Cortes aprueban, con carácter de urgencia, una Ley de Descolonización del Sáhara: España entrega la administración del territorio a Marruecos y Mauritania. • Después de sufrir tres graves operaciones, Francisco Franco muere en el hospital «La Paz», de Madrid, y es enterrado en el Valle de los Caídos. • Don Juan Carlos de Borbón es proclamado Rey de España, con el nombre de Juan Carlos I. • Un indulto pone en libertad, entre otros, a los dirigentes de Comisiones Obreras. • Nombrado presidente de las Cortes el catedrático de Derecho Político Torcuato Fernández Miranda, antiguo profesor de don Juan Carlos, ex ministro Secretario General del Movimiento y Vicepresidente en el Gobierno de Carrero Blanco. • Carlos Arias Navarro confirmado como Presidente del Gobierno. El primer Gobierno de la Monarquía anuncia un programa de democratización mediante la reforma de las leyes vigentes. • Crecimiento cero de la economía española (0,5 por 100), aunque la inflación se modera hasta el 14,1 por 100. La ganancia media por hora trabajada crece un 28,5 por 100, más del doble que el IPC. Los servicios suponen por vez primera más de la mitad del Producto Interior Bruto. El sector público registra un déficit del 0,2 por 100 del PIB y una deuda bruta equivalente al 13,23 por 100. El gasto público equivale al 26,07 por 100 del PIB.

1976 • Huelgas convocadas por sindicatos y partidos de izquierda paralizan numerosos servicios públicos, pero el Gobierno mantiene el control. Numerosas manifestaciones no autorizadas y enfrentamientos con las Fuerzas de Orden Público, que causan varios muertos y heridos. • Retirada de las últimas tropas españolas del Sáhara. • El Rey indulta de manera sistemática todas las sentencias de muerte impuestas por los tribunales. • Un Consejo de Guerra condena a penas de entre dos años y medio y ocho años de prisión a los militares de la UMD; sólo evitan la expulsión de las Fuerzas Armadas los dos capitanes que reconocen su pertenencia a la organización. • La Junta y la Plataforma de Convergencia se unen en Coordinación Democrática, que propugna alcanzar la democracia por medio de una ruptura del marco legal. • ETA secuestra y asesina al empresario vasco Angel Berazadi, después de que el Gobierno prohibiese el pago de rescate. • Libertad efectiva de prensa y tolerancia progresiva de las actividades políticas: el sindicato socialista UGT celebra legalmente su Congreso, por vez primera desde la Guerra Civil. • La Ley de Relaciones Laborales establece la jornada laboral máxima en 44 horas semanales. • Regresan del exilio, entre otros, el ensayista Salvador de Madariaga y el historiador Claudio Sánchez Albornoz. • Dos carlistas afines a Carlos Hugo de Borbón-Parma, asesinados en la concentración anual de Montejurra por pistoleros de la rama ultraderechista del carlismo. • Nace el diario *El País*, que en pocos años se convertirá en el de mayor difusión. • Don Juan Carlos anuncia ante el Congreso de Estados Unidos que España será una democracia. • Reconocidos los derechos de manifestación y asociación: comienza la legalización de partidos políticos. • Un informe del almirante norteamericano Hayman Rickover reconoce que el acorazado *Maine* se hundió en el puerto de La Habana, en 1898, por una explosión interna, de acuerdo con la tesis mantenida entonces por las autoridades españolas. • Desaparece en el País Vasco francés Eduardo Moreno Bergareche, «Pertur», dirigente de ETA favorable a la participación política y el cese de la violencia. Aparentemente fue asesinado por dos pistoleros del ala *dura* de la banda terrorista. • A petición del Rey dimite Carlos Arias Navarro. Don Juan Carlos nombra Presidente del Gobierno a Adolfo Suárez, hasta entonces Ministro Secretario General del Movimiento. • Un nuevo indulto permite la puesta en libertad de la mayor parte de los presos por delitos vinculados a la política. • El teniente general Fernando de Santiago, vicepresidente primero del Gobierno, dimite por desacuerdo con las reformas políticas y sindicales; le sustituye el teniente general Manuel Gutiérrez Mellado. • Manuel Fraga y otros ex ministros de Franco fundan el partido Alianza Popular. • ETA asesina en San Sebastián al presidente de la Diputación de Guipúzcoa, Juan María Araluce, junto con su conductor y tres policías. Durante el año causa un total de 17 víctimas mortales, frente a una del GRAPO. • Las Cortes aprueban por 425 votos a favor, 59 en contra, 13 abstenciones y con 34 ausencias, la Ley de Reforma Política, que supone la convocatoria de elecciones libres para constituir un Congreso de los Diputados y un Senado. • El Partido Socialista Obrero Español celebra en Madrid legalmente su XXVII Congreso, apoyado por los grandes líderes socialistas europeos, y reelige a Felipe González secretario general. • El GRAPO secuestra al presidente del Consejo de Estado, Antonio María de Oriol, y amenaza con asesinarle. • A pesar de la abstención preconizada por la oposición, los españoles aprueban en referéndum, con un 77,47 por 100 de participación y un 94,2 por 100 de votos afirmativos, la reforma política. • España y México reanudan las relaciones diplomáticas, interrumpidas desde la Guerra Civil. • Detenido y puesto en libertad el secretario general del Partido Comunista, Santiago Carrillo. • El Gobierno suprime el Tribunal de Orden Público y crea la Audiencia Nacional. Durante trece años de funcionamiento el TOP ha celebrado 2.835 juicios contra un total de 10.057 personas; de las 3.892 sentencias dictadas, 2.908 fueron condenatorias. El año con menos sentencias fue 1965 (113) y el de mayor número 1974, con 567. El «delito» más perseguido fue la propaganda ilegal (2.269 casos), seguido de la asociación ilícita (1.193), los desórdenes públicos (1.004), la tenencia ilícita de armas (843) y la manifestación ilícita (691). • Agricultura y Pesca suponen, por vez primera, menos del 10 por 100 del PIB. • El IPC anual sube al 19,8 por 100 y la ganancia media por hora trabajada un 30 por 100. Culmina el periodo de fuertes alzas salariales: las rentas del trabajo alcanzan el máximo histórico del 55,1 por 100 del PIB. • Los parados suponen al final del año el 4,72 por 100 de la población activa. • La Bolsa pierde el 26,9 por 100.

1977 • Adolfo Suárez traslada la Presidencia del Gobierno desde el Paseo de la Castellana al Palacio de la Moncloa. • El GRAPO secuestra al presidente del Consejo Supremo de Justicia Militar, Teniente General Emilio Villaescusa. • Pistoleros de ultraderecha asesinan a cinco personas en un despacho de abogados laboralistas de Comisiones Obreras en Madrid, al mismo tiempo que ETA y GRAPO cometen nuevos asesinatos de policías y guardias civiles. • La Policía consigue liberar a Oriol y Villaescusa. • Tras la inhibición de los tribunales, el Gobierno legaliza al Partido Comunista. • El choque de dos aviones *Boeing* 747 en el aeropuerto de Los Rodeos (Tenerife) provoca el mayor accidente de aviación de la historia, con 562 muertos. • Regresan del exilio, entre otros, el poeta Rafael Alberti y la dirigente comunista Dolores Ibarruri. • Un indulto pone en libertad a todos los presos de ETA. • Unión de Centro Democrático, coalición liderada por el presidente Adolfo Suárez, gana las primeras elecciones generales desde 1936, con 167 escaños de un total de 350; el PSOE es el segundo partido, con 118 escaños, seguido por el PCE (20), Alianza Popular (16), el Pacte Democratic per Catalunya (11), el PNV (8) y el Partido Socialista Popular-Unidad Socialista (6). • Renovación generalizada en la clase política; sólo un 12,9 por 100 de los nuevos diputados y senadores habían sido procuradores en las Cortes Españolas del régimen de Franco. • Asesinado tras un mes de secuestro el empresario vizcaíno Javier de Ibarra. • Un ministerio de Defensa, cuyo primer titular es el Teniente General y Vicepresidente Manuel Gutiérrez Mellado, engloba a los tres ministerios militares —uno por cada Ejército— del régimen de Franco. • Toma posesión la primera mujer juez. • Asesinado en Guernica (Vizcaya) el presidente de la Diputación, Gustavo Unzueta, con dos guardias civiles de escolta. • El poeta Vicente Aleixandre recibe el Premio Nobel de Literatura. • Las Cortes aprueban una amnistía total para los delitos terroristas. • Todos los partidos representados en las Cortes suscriben los Pactos de la Moncloa, un plan económico para evitar el deterioro progresivo de la economía. • El Parlamento aprueba por unanimidad unas medidas urgentes de Reforma Tributaria. • Creado el Fondo de Garantía de Depósitos, destinado a neutralizar los efectos de las crisis bancarias. • Restablecida por Decreto-Ley, con carácter provisional, la Generalidad de Cataluña; el antiguo dirigente republicano Josep Tarradellas, en el exilio desde 1939, es nombrado presidente. • Suprimida la censura cinematográfica. • Ofensiva del nacionalismo vasco, secundada por el PSOE, para incorporar Navarra a su proyecto político. • Durante todo el año el terrorismo causa la muerte de 28 personas: doce a manos de ETA, siete del GRAPO, ocho de la ultraderecha y uno de separatistas catalanes. • El año termina con una tasa de paro del 5,71 por 100. • El déficit público asciende al 1,06 por 100. • El Indice de Precios alcanza el 26,4 por 100, la cifra más alta desde el Plan de Estabilización de 1959. La ganancia media por hora trabajada crece un 30,2 por 100. • Las prestaciones sociales superan por vez primera el 10 por 100 del PIB. El gasto público equivale al 29,01 por 100 del PIB. • Nueva caída en la Bolsa, del 28,3 por 100. El volumen de la contratación se ha reducido a 74.374 millones de pesetas, tras alcanzar 130.657 millones en 1976.

1978 • Establecido por Decreto-Ley un régimen de preautonomía en el País Vasco: otras once regiones, además de Cataluña y el País Vasco, obtienen un régimen similar durante la primera mitad del año. El socialista Ramón Rubial, elegido primer presidente del Consejo General Vasco, gracias al apoyo parcial de UCD. Los parlamentarios navarros de UCD (6 de los 9 elegidos en la provincia foral) no se incorporan al órgano preautonómico vasco, aunque sí lo hacen dos diputados del PSOE y un senador del PNV. • El proyecto de Constitución generaliza la constitución de comunidades autónomas. • Un grupo terrorista vinculado al separatismo catalán asesina al ex alcalde de Barcelona Joaquín Viola y a su esposa. • El Grapo asesina en Madrid al director general de Prisiones, Jesús Miguel Haddad. • ETA asesina al magistrado del Tribunal Supremo José Francisco Mateu y al periodista vizcaíno José María Portell. La misma banda terrorista comienza una ofensiva contra mandos militares, con el asesinato en Madrid del general Juan Manuel Sánchez y el teniente coronel José Antonio Pérez. • Suprimida la pena de muerte, salvo para situaciones de guerra. • Establecida la mayoría de edad a los 18 años. • Nace en Barcelona *El Periódico de Catalunya*. • Fallece el presidente del PNV, Juan Ajuriaguerra. Le sustituye Xabier Arzalluz. • Josefina Triguero es la primera mujer española que aprueba las oposiciones a juez. • Un grupo denominado Batallón Vasco Español se hace responsable del asesinato de un supuesto colaborador de ETA. • Las Cortes aprueban por un amplio consenso la nueva Constitución, con 325 votos a favor, 6 en contra y 14 abstenciones. • Detenidos un teniente coronel de la Guardia Civil (Antonio Tejero) y un capitán de la Policía Armada que preparaban un asalto al Palacio de la Moncloa. • En referéndum, el texto de la Constitución es aprobado por el 87,87 por 100 de los votantes, con un 67,11 por 100 de participación. • El PSOE y el PSP se fusionan. • ETA asesina a Joaquín María de Azaola, tras publicar una revista que en 1974 había informado del intento de secuestro de los Príncipes Juan Carlos y Sofía. • Fundada la coalición Herri Batasuna, afín a la rama *militar* de la banda terrorista ETA. Los muertos por terrorismo ascienden durante el año a 85: 64 de ETA, 6 del GRAPO, 4 de anarquistas, 3 del Batallón Vasco Español, dos del Ejército Popular Catalán, uno de la ultraderecha, uno del MPAIAC (separatista canario), uno de la izquierda radical vasca y tres de un grupo armenio. • El año termina con una tasa de paro del 5,85 por 100. El déficit público asciende al 2,2 por 100. El IPC empieza a reducirse y se sitúa en el 16,5 por 100, aunque la ganancia media, hora por hora trabajada, crece un 26,2 por 100. El precio de este desequilibrio es un nuevo aumento del paro, que supera por vez primera el millón de trabajadores.

1979 • ETA asesina en Madrid al Gobernador Militar, General Constantino Ortín. • Comienzan las negociaciones para la integración de España en la Comunidad Económica Europea. • Convergencia Democrática y Unió Democrática de Cataluña forman la coalición Convergencia i Unió (CiU). • UCD gana las elecciones generales, con 168 escaños, por 121 del PSOE, 23 del PCE, 10 de Coalición Democrática (AP), 8 de Convergencia i Unió, 7 del PNV, 5 del Partido Andalucista y 3 de HB. • Primeras elecciones municipales democráticas desde la II República: una alianza entre el PSOE y el PCE permite a la izquierda ganar las alcaldías de las principales ciudades. Un cambio de mayoría en el Consejo General Vasco sitúa en la presidencia de éste al nacionalista Carlos Garaicoechea, de origen navarro. • Agustín Rodríguez Sahagún es el primer civil que ejerce la cartera de Defensa. • Tras sufrir un retroceso electoral en Navarra, el PSOE retira a su organización navarra del socialismo vasco y renuncia a integrar la provincia foral en la comunidad vasca.

• Abandonan la base de Rota los últimos submarinos nucleares norteamericanos; el mayor alcance de los nuevos misiles navales estratégicos permite utilizar bases más alejadas de la URSS. • Felipe González dimite como secretario general del PSOE, después de que el 28 Congreso del partido rechazara su propuesta de supresión del marxismo; un congreso extraordinario posterior le permite recuperar el cargo. • El GRAPO asesina al presidente de la Sala Sexta del Tribunal Supremo, Miguel Cruz. ETA asesina en Madrid al teniente general Luis Gómez Hortigüela y a otros tres militares. Una bomba colocada por el GRAPO en una cafetería madrileña causa la muerte de ocho personas. • Severiano Ballesteros gana el *Open* británico de golf. • Sendas bombas de ETA en las estaciones madrileñas de Atocha y Chamartín causan la muerte de siete personas. • Aprobados los Estatutos de Autonomía del País Vasco y Cataluña. • ETA asesina en San Sebastián al General Lorenzo González Vallés, Gobernador Militar de Guipúzcoa. • ETA secuestra y libera al diputado de UCD Javier Rupérez. • Los muertos por terrorismo ascienden durante el año a 123: 78 de ETA, 31 del GRAPO, 6 del Batallón Vasco Español, 5 de la ultraderecha. • Fuerte impacto de la segunda crisis del petróleo: crecimiento «cero» de la economía española. • Las dificultades económicas conducen a la Junta de Defensa Nacional a cancelar el proyecto «Miura», iniciado por Carrero Blanco y que había sido continuado por los presidentes Arias Navarro y Suárez. • El año termina con una tasa de paro del 9,45 por 100. La presión fiscal supera el 25 por 100. La ganancia media por hora trabajada crece un 23,3 por 100. • El Índice de la Bolsa de Madrid llega al mínimo de la transición —2.655,94—, con pérdida del 54,1 por 100 desde 1975.

1980 • Enterrados en el Panteón de Reyes de San Lorenzo del Escorial los restos de Alfonso XIII. • Una bomba en un bar de Baracaldo (Vizcaya), atribuida al Batallón Vasco Español, causa la muerte de cuatro personas. Seis guardias civiles, asesinados en una emboscada de ETA entre Ispaster y Ea (Guipúzcoa). El Gobierno nombra delegado en el País Vasco al General Sáez de Santamaría. • A pesar de la oposición del Gobierno, siete de las ocho provincias andaluzas votan a favor de constituirse en comunidad autónoma por la vía «rápida» del artículo 151 de la Constitución. • El PNV gana por mayoría absoluta las primeras elecciones al Parlamento vasco y CiU, con mayoría relativa, las del Parlamento catalán; Carlos Garaicoechea y Jordi Pujol son elegidos presidentes de las respectivas comunidades autónomas. • El PSOE presenta una moción de censura contra Adolfo Suárez, rechazada por 166 votos a 152. • Juan Antonio Samaranch, elegido presidente del Comité Olímpico Internacional. • El Estatuto de los Trabajadores reduce la jornada laboral máxima a 43 horas semanales (42 en jornada continuada). • Adolfo Suárez presenta y gana en las Cortes una cuestión de confianza. • El grupo parlamentario centrista del congreso elige portavoz al diputado crítico Miguel Herrero. • Ofensiva de ETA contra los militantes de partidos nacionales en el País Vasco, durante la cual son asesinados tres políticos de UCD y uno de AP. • Aprobada la constitución de la Policía Autónoma vasca, la *Ertzaintza*. • Los muertos por terrorismo ascienden al máximo del actual régimen democrático, con 130: 96 de ETA, 23 del Batallón Vasco Español, 6 del GRAPO, 3 de la ultraderecha. • El año termina con una tasa de paro del 12,44 por 100 de la población activa, equivalente a millón y medio de trabajadores. • El segundo «choque» del petróleo produce un acusado deterioro de las cuentas públicas: déficit del 3,22 por 100 y deuda equivalente al 18,71 por 100 del PIB. La economía entra en recesión: el PIB desciende un 0,2 por 100. • La mortalidad infantil es de 12,34 por mil, una de las más bajas del mundo.

Estoril (Portugal), 12-10-1972.
El infante Felipe de Borbón y Grecia se asoma por una puerta, durante la celebración de la boda de la infanta Margarita de Borbón y Carlos Zurita

Madrid, 8-3-1972.
*Boda de Alfonso de Borbón
Dampierre con Carmen
Martínez Bordiú en el Palacio
de El Pardo*

Madrid, 4-4-1972.
*Se incorporan las mujeres a
la Guardia Municipal*

Madrid, 20-12-1973.
Lugar del atentado de ETA en el que perdió la vida el presidente del Gobierno, almirante Carrero Blanco

Madrid, 21-12-1973.
El príncipe de España, Juan Carlos de Borbón, preside, en nombre del jefe del Estado, el cortejo fúnebre que
conduce los restos del presidente del Gobierno, almirante Carrero Blanco, al cementerio de El Pardo

Madrid, 2-1-1974.
Carmen Polo de Franco felicita en el Palacio de El Pardo a Carlos Arias Navarro, tras su juramento como presidente del Gobierno. (Foto: Olegario Pérez de Castro)

Madrid, 1-5-1975.
El jefe del Estado asiste por última vez a la Demostración Sindical. (Foto: Olegario Pérez de Castro)

Roma, 24-9-1975.
Manifestación contra las sentencias a muerte impuestas en España a los miembros del FRAP y ETA, Paredes Manot, Baena Alonso, García Sanz, Sánchez Bravo y Otaegui Echevarría

Sáhara Español, 6-11-1975.
Marcha Verde. Los manifestantes portan un ejemplar del Corán

Sáhara Español, 20-10-1975.
Tropas españolas ante la Marcha Verde

Madrid, 20-11-1975.
*Carmen Polo de Franco y su hija la marquesa de Villaverde asisten a la misa «corpore insepulto»
por el jefe del Estado, Francisco Franco, en el Palacio de El Pardo*

Madrid, 22-11-1975.
Don Juan Carlos de Borbón jura las Leyes y es proclamado Rey. (Foto: Luis Millán)

Madrid, 3-3-1976.
Disturbios en la Universidad;
estudiantes se manifiestan
por calles de Madrid

Madrid, 8-12-1976.
Clausura del XXVII Congreso del Partido Socialista Obrero Español. Felipe González, reelegido Secretario General

Madrid, 13-5-1977.
Llegada de Dolores Ibarruri,
«Pasionaria», a España,
acompañada por su hija
Amaya, tras cerca de
cuarenta años de exilio

Barcelona, 23-10-77.
Josep Tarradellas regresa
del exilio

Madrid, 25-10-1977.
Se firman los Pactos de la Moncloa. De izquierda a derecha: Enrique Tierno Galván, Santiago Carrillo, José María Triginer, Joan Raventós, Felipe González, Juan Ajuriaguerra, Adolfo Suárez, Manuel Fraga, Leopoldo Calvo Sotelo y Miguel Roca

Madrid, 14-2-1978.
Felipe González, Adolfo Suárez y Santiago Carrillo conversan durante la entrega de los premios Populares del diario «Pueblo»

Madrid, 27-12-1978.
El rey *Juan Carlos procede a la sanción de la Constitución, durante un acto celebrado en el Congreso de los Diputados, en presencia de la reina Sofía y del príncipe Felipe y del presidente de las Cortes, Antonio Hernández Gil.* (Foto: Manuel H. de León)

Barcelona, 16-10-1979.
Cartel con el lema de la campaña Institucional para el Referéndum del Estatuto de Cataluña

San Lorenzo de El Escorial (Madrid), 19-1-1980.
Traslado de los restos de Alfonso XIII al Panteón de Reyes

Guernica, 10-4-1980.
Toma de posesión de Carlos Garaicoetxea como presidente del Gobierno vasco

Barcelona, 24-4-1980.
El Parlamento catalán elige presidente de la Generalidad a Jordi Pujol

1981 · 1990
Europa cruza los Pirineos

1981 • El presidente del Congreso de los Diputados, Landelino Lavilla, anuncia su candidatura a la presidencia de UCD, como líder del sector crítico. • Adolfo Suárez dimite como presidente del Gobierno, una semana antes de que se celebre el II Congreso de UCD; Leopoldo Calvo Sotelo, vicepresidente económico, elegido por mayoría para sucederle. • ETA secuestra y asesina al ingeniero jefe de las obras de la central nuclear de Lemóniz, José María Ryan. • El II Congreso de UCD elige presidente del partido, por mayoría de dos a uno, a Agustín Rodríguez Sahagún, destacado «suarista». • El Teniente Coronel de la Guardia Civil Antonio Tejero, al frente de 300 guardias civiles, asalta el edificio de las Cortes durante el pleno de investidura y detiene al Gobierno y al Parlamento, en un intento de golpe de Estado que tiene la complicidad del Capitán General de la III Región Militar (Valencia), teniente general Jaime Miláns del Bosch, y del Segundo Jefe del Estado Mayor del Ejército, general Alfonso Armada. El Rey, con el respaldo de la práctica totalidad de las Fuerzas Armadas, de las fuerzas políticas y de la ciudadanía, encabeza la oposición al golpe, que fracasa en menos de 24 horas sin que se produzcan bajas. • Leopoldo Calvo Sotelo, investido presidente del Gobierno con los votos de UCD, AP y CiU. • Detenidos Ignacio Iturbide y Ladislao Zabala, que serán condenados por haber cometido al menos una docena de asesinatos, en nombre del BVE. • España recupera el cuadro «Guernica», de Pablo Picasso, encargado y pagado por el Gobierno de la II República con destino a la Exposición de París de 1937, que llevaba varios decenios depositado en el Museo de Arte Moderno de Nueva York. • Un Acuerdo Nacional contra el Empleo, ineficaz para la lucha contra el paro, supone el inicio de la subvención directa a los sindicatos por parte del Estado. • Tensiones lingüísticas en Cataluña. Comienza el éxodo de profesores castellano parlantes ante la progresiva catalanización forzosa de la enseñanza. • La puesta en servicio de las televisiones autonómicas catalana y vasca (TV-3 y Euskal Telebista) rompe en esas comunidades el monopolio de Televisión Española. • Una intoxicación masiva por el consumo de aceite de colza desnaturalizado causa la muerte de 234 personas; varios centenares de afectados más fallecerán durante los años siguientes. • UCD y el PSOE pactan una racionalización del proceso autonómico, plasmado en una Ley de Ordenación y Armonización (LOAPA). • Crisis en el PCE tras la disolución de la organización vasca y la expulsión de varios militantes. • Aprobada la Ley del Divorcio. El cese efectivo de la convivencia será causa suficiente. • El Congreso aprueba el ingreso en la OTAN por 186 votos contra 146. • Un grupo socialdemócrata encabezado por el ex ministro Francisco Fernández Ordóñez abandona UCD. • Alianza Popular gana por mayoría relativa las primeras elecciones al Parlamento gallego; Gerardo Fernández Albor elegido presidente con el apoyo de UCD. • Soledad Becerril, nombrada ministra de Cultura, es la primera mujer que forma parte de un Gobierno español en tiempo de paz. • Tras ocho años de crecimiento, fuerte descenso del número de muertos por terrorismo, que suman 37: 30 de ETA, 5 del GRAPO, y uno del Batallón Vasco Español. • El año termina con una tasa de paro del 15,14 por 100. • El déficit público asciende al 4,65 por 100 del PIB y la deuda al 25,17 por 100.

1982 • ETA asesina en Bilbao a Angel Pascual Múgica, ingeniero director de programas de la central nuclear de Lemóniz; a pesar del acuerdo favorable del Parlamento Vasco, las obras de la central se paralizan definitivamente. • El Partido Socialista gana por mayoría absoluta las primeras elecciones al Parlamento andaluz; Rafael Escuredo, elegido presidente. • España ingresa en la OTAN. • Un Consejo de Guerra condena a los principales responsables del golpe de Estado de febrero de 1981; Miláns del Bosch, Armada y Tejero, entre otros, causan baja en el Ejército. • Se celebran por vez primera en España unos Campeonatos Mundiales de Fútbol. Italia gana en la final a Alemania. • Grave crisis en UCD, que se escinde en varias fracciones; Adolfo Suárez funda el Centro Democrático y Social (CDS); los democristianos, el Partido Demócrata Popular (PDP). • Leopoldo Calvo Sotelo disuelve las cámaras y convoca elecciones generales. • El PDP establece una alianza electoral con la AP de Manuel Fraga. • Tras varios meses de negociaciones con el Gobierno, la rama *político-militar* de ETA, vinculada al partido Euskadiko Ezkerra, acuerda disolverse. • El PSOE gana por mayoría absoluta, con 202 escaños, seguido por AP-PDP (106), UCD (12), el PCE (4) y el CDS (2). • Santiago Carrillo dimite como secretario general del Partido Comunista. • ETA asesina en Madrid al General Víctor Lago Román, jefe de la División Acorazada *Brunete*. • Felipe González, investido presidente del Gobierno. • Devaluación de la peseta; el ministro de Hacienda Miguel Boyer emprende un programa de ajuste económico. • Los muertos por terrorismo ascienden a 44: 40 de ETA, 2 del GRAPO, 2 de Al Fatah (palestinos). • El año termina con una tasa de paro del 16,79 por 100 de la población activa. • El déficit sube al 5,41 por 100 y la deuda al 31,38. El gasto público equivale al 38,25 por 100 del PIB.

• Por vez primera los servicios ocupan a más de la mitad de la población activa

1983 • El Gobierno expropia el *holding* Rumasa, propiedad del empresario jerezano José María Ruiz Mateos. • El Tribunal Supremo aumenta las penas a los condenados por el golpe de Estado de febrero de 1981. • Un acuerdo suscrito con los sindicatos reduce la jornada laboral máxima a 40 horas semanales, a cambio de moderación salarial. • La mayoría de izquierda aprueba una Ley de despenalización del aborto. • Una reforma del Código Penal legaliza el consumo de drogas y reduce las penas por tráfico, sobre todo de las llamadas drogas «blandas», lo que dará lugar en los años siguientes a un considerable aumento de la drogadicción y convertirá a España en el primer país europeo en muertes por reacción aguda. • Gerardo Iglesias, nuevo secretario general del PCE. • La película «Volver a empezar», dirigida por José Luis Garci, recibe el *Oscar* a la mejor película extranjera. • UCD acuerda su disolución, como precio político para dejar el campo libre a AP y para que varios de los principales acreedores (bancos) le condonen las deudas. • Celebradas las primeras elecciones a los Parlamentos de Navarra, Asturias, Cantabria, La Rioja, Aragón, Baleares, Comunidad Valenciana, Murcia, Castilla y León, Castilla-La Mancha, Extremadura y Canarias. • El Tribunal Constitucional anula partes sustanciales de la LOAPA. • Superada la cifra de dos millones de parados registrados. • La reconversión del sector público industrial, que supone la desaparición progresiva de varias decenas de miles de puestos de trabajo, origina grandes protestas. • ETA mata durante el año a 40 personas, frente a 2 del GRAPO y 2 de Al Fatah. Los Grupos Armados de Liberación (GAL), surgidos tras el secuestro y asesinato del Capitán de Farmacia de Bilbao Martín Barrios, asesinan en el País Vasco francés a 4 militantes de ETA. • El Tribunal Constitucional establece, por el voto de calidad de su presidente Manuel García Pelayo, la constitucionalidad de la expropiación de Rumasa. • El año termina con una tasa de paro del 18,07 por 100 de la población activa. • El déficit público asciende al 6,58 por 100 y la deuda al 40,01 por 100 del PIB. • Tras ocho años de crecimiento económico prácticamente cero, el producto interior bruto supera el máximo histórico alcanzado en 1976 y comienza un ciclo de crecimiento que durará hasta 1991. • Durante el primer año de Gobierno socialista el Índice de la Bolsa de Madrid crece un 31,7 por 100, hasta el 5.003,74.

1984 • ETA asesina en Madrid al teniente general retirado Guillermo Quintana Lacaci, ex capitán general de la I Región Militar y figura clave en la paralización del golpe del «23-F» de 1981. • Los Comandos Autónomos Anticapitalistas asesinan en San Sebastián al senador socialista Enrique Casas. • Asesinado a tiros en Bilbao el dirigente de Herri Batasuna Santiago Brouard. ETA mata durante el año a 33 personas, frente a 5 del GRAPO y una del GAL, banda terrorista que también asesina a 7 vascoespañoles huidos a Francia. • Comienza la privatización de las empresas de Rumasa. • La Ley de Territorios Históricos —que consolida las competencias de las Diputaciones Forales, en detrimento del Gobierno vasco —causa una división en el PNV y la dimisión del *lehendakari* Carlos Garaicoechea, a quien sustituye José Antonio Ardanza. • El IPC —9 por 100— baja por vez primera del 10 por 100 desde 1972. • El año termina con una tasa de

paro del 21,3 por 100. • La presión fiscal supera el 30 por 100. • La Bolsa alcanza el Índice 7.647,3, con lo que supera la marca histórica del régimen de Franco.

1985 • ETA asesina en Vitoria al primer jefe de la Policía Autónoma Vasca, teniente coronel Carlos Díaz Arcocha. • El Gobierno cambia el sistema de elección de los vocales del Consejo General del Poder Judicial: todos serán elegidos por el Parlamento. • Finalizan las negociaciones con la CEE; España y Portugal firman la adhesión al Tratado de Roma. • ETA asesina en Madrid al Director General de Política de Defensa, Vicealmirante Fausto Escrigas. La banda asesina durante el año a 37 personas, y el terrorismo árabe a 3. El GAL mata en Francia a 10 personas. • Toca fondo la destrucción de empleo: el número de ocupados se ha reducido a 11,45 millones, frente a 13,27 que había en 1974; la mayor parte de la disminución (1,42 millones) corresponde a asalariados. El año termina con una tasa de paro del 21,67 por 100. • El déficit público alcanza un máximo del 6,94 por 100 del PIB, en tanto que la deuda llega al 45,08. • La Bolsa de Madrid supera el Índice 10.000, hasta 10.940,29. Se establece 1985 como nuevo Índice de base 100.

1986 • España ingresa en la Unión Europea. Entra en vigor el Impuesto sobre el Valor Añadido (IVA). • Comienza un lustro de fuerte crecimiento económico, el mayor desde 1974. • El Gobierno convoca un referéndum a favor de la continuidad en la OTAN, que gana por un 52,53 por 100 de votos afirmativos, con un 40,27 por 100 de abstención. • La Ley de Fuerzas y Cuerpos de Seguridad del Estado fusiona al Cuerpo Superior de Policía y a la Policía Nacional en el nuevo Cuerpo Nacional de Policía. • Xabier Arzalluz, elegido presidente del Partido Nacionalista Vasco. • Un total de 40.556 extranjeros se acogen a la nueva Ley de Extranjería, cuya aplicación es protestada por los marroquíes residentes en Ceuta y Melilla. • El PCE se integra en la coalición Izquierda Unida. • El PSOE gana las elecciones generales, con 184 escaños, frente a 105 de la Coalición Popular, 19 del CDS, 18 de CiU, 7 de IU, 6 del PNV y 5 de HB. Fracasa el Partido Reformista, que compartía candidato a presidente con CiU (Miquel Roca Junyent) y no obtiene un solo escaño. • Sendos coches bomba de ETA matan en Madrid a cinco y doce guardias civiles. Atentado fallido de la misma banda terrorista contra el presidente del Consejo General del Poder Judicial, Antonio Hernández Gil. • La empresa automovilística alemana Volkswagen compra al INI la mayoría del capital de SEAT. • Fuerte crisis de la Coalición Popular, de la que se escinde el PDP, democristiano. • ETA asesina en Villafranca de Ordicia (Guipúzcoa) a su antigua dirigente María Dolores González Catarain, *Yoyes*, que se había acogido a las medidas de reinserción del Gobierno. • Tras auditar al Fondo de Garantía de Depósitos, un informe del Tribunal de Cuentas cifra en 1,2 billones de pesetas el coste de la crisis bancaria. • Once de los 32 diputados del PNV en el Parlamento vasco anuncian su paso al Grupo Mixto, encabezados por el ex *lehendakari* Carlos Garaicoechea. • Los disidentes del PNV fundan *Eusko Alkartasuna* (Solidaridad Vasca), bajo el liderazgo de Carlos Garaicoechea. • ETA asesina en San Sebastián al Gobernador Militar, General Rafael Garrido, su esposa y un hijo. • El pleno de la Audiencia Territorial de Barcelona, por 33 votos contra 8, exonera al presidente de la Generalidad, Jordi Pujol, de responsabilidad penal por su gestión al frente de Banca Catalana. El Fiscal del Estado ordena que no se recurra. • El Partido Socialista consigue dos escaños más que el PNV en las elecciones al Parlamento vasco, pero cede la presidencia del gobierno de Vitoria a los nacionalistas (que habían conseguido más votos) en el gobierno de coalición que forma con éstos. • Manuel Fraga dimite como presidente de AP tras obtener sólo dos escaños en las elecciones al Parlamento vasco. • ETA mata a un total de 41 personas y el GAL a 2 en Francia. • Tras alcanzar un máximo histórico de tres millones de parados registrados, el desempleo empieza a disminuir y termina el año con un 20,93 por 100 de la población activa. • Superados los cinco mil dólares de renta *per capita*. • La Bolsa de Madrid alcanza el Índice 23.619,81 sobre 1940 (208,3 sobre 1985) y la contratación anual llega a los 2,226 billones de pesetas. Durante los primeros cuatro años de Gobierno socialista el Índice ha crecido un 621,9 por 100 y el volumen de la contratación se ha multiplicado por 12,26.

1987 • Un congreso extraordinario elige a Antonio Hernández Mancha nuevo presidente de AP, frente a la candidatura de Miguel Herrero Rodríguez de Miñón, por 1.930 votos frente a 729. • José María Aznar (candidato a secretario general de AP en la lista derrotada de Miguel Herrero) gana en minoría las elecciones al Parlamento de Castilla y León; es elegido presidente de la comunidad autónoma con el apoyo del CDS. • La Policía Nacional detiene a los miembros del «comando Madrid» de ETA, el más sanguinario de la organización terrorista. • Una bomba lanzada por ETA contra la sede socialista de Portugalete (Vizcaya) mata a dos personas. • Antonio Gutiérrez sucede a Marcelino Camacho como secretario general de Comisiones Obreras. • Se celebran por vez primera en España elecciones al Parlamento Europeo: gana el PSOE, con 28 de los 60 escaños, seguido de AP con 17, CDS con 7, IU con 3 y CiU con 3. • La explosión de un coche bomba de ETA, en el aparcamiento de un hipermercado de Barcelona, mata a 21 personas. • El secretario general de UGT, Nicolás Redondo, dimite como diputado socialista, en protesta por la política económica del Gobierno. • Elegido director general de la UNESCO Federico Mayor Zaragoza, que fue ministro de Educación y Ciencia con UCD. • Un coche bomba de ETA contra una casa cuartel de la Guardia Civil en Zaragoza causa la muerte de once personas, entre ellas cinco niños. Durante todo el año ETA mata a 52 personas, Terra Lliure (separatistas catalanes) a 1, el Ejército Rojo de Liberación Catalán a 1 y el GAL, en Francia, también a una persona. • El crecimiento del IPC se reduce al 4,6 por 100, la cifra más baja desde 1970. • La población activa en paro al finalizar el año es del 20,03 por 100. • La renta variable supone el 94,29 por 100 de la contratación bursátil.

1988 • Todos los partidos democráticos del País Vasco firman el Pacto de Ajuria Enea, con el fin de aislar a la banda terrorista ETA y a su epígono político, HB. • Julio Anguita sustituye a Gerardo Iglesias como secretario general del PCE. • Promulgada la Ley del Mercado de Valores, que establece una Comisión Nacional encargada de su regulación. • Éxito de la huelga general convocada por los principales sindicatos, en protesta por los nuevos contratos «baratos» para jóvenes. • ETA mata a un total de 19 personas, por 2 del GRAPO.

• Vuelve a crecer la inflación, hasta el 5,8 por 100. • El paro se reduce hasta el 18,48 por 100.

1989 • Durante el primer semestre del año España ejerce, por vez primera, la presidencia de la Comunidad Europea. • Congreso de refundación de Alianza Popular, que pasa a denominarse Partido Popular, con la integración de la práctica totalidad de los partidos de la derecha; Manuel Fraga vuelve a la presidencia. • ETA anuncia una tregua de dos meses. Fracasan las conversaciones que altos cargos de Interior mantienen en Argel con dirigentes de la banda terrorista. Argelia expulsa a los *etarras* que residían en ese país. • El Gobierno pacta con los sindicatos un aumento del gasto público. • Arantxa Sánchez Vicario gana con 17 años el torneo Roland Garros; es la primera vez que una española gana un *grand slam* de tenis. • PP y CDS pactan mociones de censura conjuntas y ganan al PSOE la alcaldía de Madrid. • La peseta entra en el Sistema Monetario Europeo. • Fundado en Madrid el diario *El Mundo del siglo XXI*. • La presión fiscal supera el 35 por 100. • El déficit público se reduce al 2,8 por 100, la cifra más baja desde 1979. • La concesión de tres cadenas privadas de ámbito nacional (Antena 3, Tele 5 y Canal +, ésta última de pago) rompe a partir del año siguiente, en toda España, el monopolio de la televisión pública. • El PP designa candidato a la presidencia del Gobierno a José María Aznar, quien debe abandonar la presidencia de Castilla y León. • El PSOE gana las elecciones generales, con 175 escaños, seguido del PP con 107, IU con 17, el CDS con 14, CiU con 18, el PNV con 5 y HB con 4. Por vez primera y ante la existencia de irregularidades, los tribunales ordenan repetir unas elecciones, en la ciudad de Melilla, donde el PP gana el escaño atribuido originalmente al PSOE. • El PP gana por mayoría absoluta las elecciones al Parlamento gallego; Manuel Fraga, elegido presidente de la *Xunta* de Galicia. • Un grupo ultraderechista asesina en Madrid al diputado de HB Josu Muguruza. • Al calor del cambio de fronteras que se produce en varios países tras la caída del comunismo, una comisión del Parlamento catalán aprueba por mayoría el derecho de autodeterminación. • ETA mata a 18 personas, frente a 5 del GRAPO y una del Exército Guerrilleiro (separatista gallego). • El novelista Camilo José Cela recibe el Premio Nobel de Literatura. • El IPC llega al 6,9 por 100, para luego volver a bajar. • Nueva reducción del paro, hasta el 16,89 por 100. • La Bolsa de Madrid alcanza el Índice 36.844,2 sobre 1940 (296,6 sobre 1985), culminación de diez años de crecimiento.

1990 • El Parlamento vasco aprueba, con los votos a favor de los grupos nacionalistas y la oposición de socialistas, centristas y populares, el derecho a la autodeterminación. Al igual que en el caso catalán, se trata de una declaración sin consecuencias prácticas, al menos inmediatas. • José María Aznar sucede a Manuel Fraga como presidente del PP. • Tres buques de guerra españoles participan en el embargo decretado por Naciones Unidas contra Irak, tras la invasión del emirato de Kuwait por el régimen de Saddan Hussein. • Superados los diez mil dólares anuales de renta *per capita*. • Vuelve a subir el déficit público, hasta un 4,1 por 100. • ETA mata a 25 personas y el GRAPO a dos. • El paro se sitúa en el 16,11 por 100 de la población activa, el mínimo del periodo socialista. • El Índice de la Bolsa pierde un 23,5 por 100.

Madrid.
Adolfo Suárez durante un debate parlamentario

Madrid, 23-02-1981.
El teniente coronel Tejero irrumpe, pistola en mano, en el Congreso de los Diputados durante la segunda votación de investidura de Leopoldo Calvo Sotelo como presidente del Gobierno. (Foto de Manuel Pérez Barriopedro, galardonada con los premios «Nacional de Periodismo», «World Press Photo», «Efe», «Libertad de Expresión», «Pablo Iglesias», «Universalia» y «Long Play»)

Madrid, 23-2-1981.
El vicepresidente y teniente general Gutiérrez Mellado, zarandeado por un grupo de guardias civiles en presencia del teniente coronel Tejero, mientras el presidente Adolfo Suárez intenta socorrerle. (Foto:Manuel Hernández de León, galardonada con los premios: «Rey de España de Periodismo», «Nacional de Periodismo», « Libertad de Expresión», «Universalia», «Mejor Imagen de Comunicación» y «Long Play»)

Madrid, 30-6-1981.
Canje de aceite de colza desnaturalizado por aceite de oliva. Empieza a hablarse de síndrome tóxico

Madrid, 23-10-1981
Después de cuatro años de intensas negociaciones con los herederos de Picasso y los responsables del Museo de Arte Moderno de Nueva York, regresa a Madrid el famoso «Guernica» de Pablo Picasso y se expone en el Casón del Buen Retiro

Madrid, 3-9-1981.
Rueda de prensa del secretario general del PSOE, Felipe González, para explicar la postura de su partido contra el ingreso de España en la OTAN

Bonn, 10-6-1982.
El presidente del Gobierno, Leopoldo Calvo Sotelo, en un momento del discurso que pronunció en la primera Asamblea General a la que asistió España después de su ingreso en la OTAN, celebrada en el Bundestag alemán

Zaragoza, 6-11-1982.
*Su santidad el papa Juan
Pablo II recibe el emocionado
homenaje de un grupo de
deficientes mentales durante
la recepción a los enfermos
en el Estadio de La
Romareda.* (Foto:Manuel
H.de León) Premio
Fotopress 82, Primer Premio
de la Actualidad, diploma
especial World Press
Photo 83

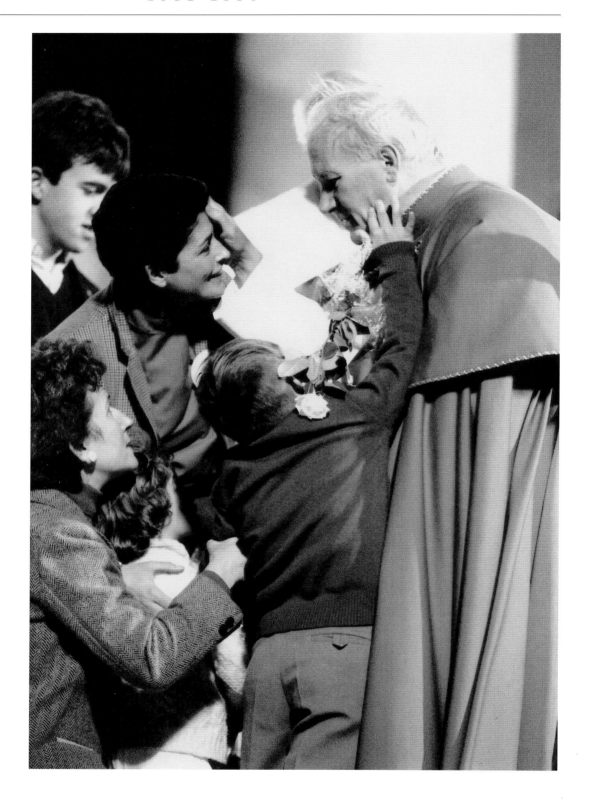

Madrid, 5-3-1983.
Manifestación contra el aborto

San Sebastián, 24-2-1984.
Entierro del senador socialista Enrique Casas, asesinado por ETA. (Foto: Antonio Alonso)

Bilbao, 22-11-1984.
Funerales de Santiago Brouard, dirigente de Herri Batasuna asesinado a tiros en Bilbao

Madrid, 12-6-1985.
Acto de la firma del Tratado de Adhesión de España a la Comunidad Económica Europea (C.E.E.) en el Palacio Real de Madrid. El presidente del Gobierno, Felipe González, y el ministro de Asuntos Exteriores, Fernando Morán, firman ante la atenta mirada del rey Juan Carlos.
(Foto: Manuel H. de León)

Basauri (Vizcaya), 16-5-1985.
Explosión de un coche bomba al paso de una furgoneta de la Policía Nacional

Madrid, 12-6-1985.
Explosión de un coche bomba colocado por ETA en el aparcamiento de la avenida de Felipe II,
en el que sufrió graves heridas el artificiero Gerardo Puente Balderas. (Foto:Jacinto Maillo).
Premio «Apartado de Sucesos» del VIII Concurso Nacional de Fotografía de Prensa de España

Madrid, 27-6-1989.
I Cumbre Europea en Madrid

Madrid, 10-10-1989.
José María Aznar, cabeza de lista del Partido Popular (PP) por Madrid, pega carteles al inicio de la campaña electoral. (Foto: García Campos)

Barcelona, 26-10-1989.
Felipe González saluda al público asistente al mitin del PSC-PSOE en la plaza de toros Monumental de Barcelona. (Foto: Julián Martín)

Madrid, 12-2-1988.
*Se aprueba el decreto ley por
el que las mujeres pueden
ingresar en el Ejercito.
Mujeres guardias civiles,
desfilando*

Guijuelo, 2-5-1990.
*Novena etapa de la Vuelta
Ciclista a España disputada
entre Cáceres y Guijuelo.
Vista del pelotón a su paso
por tierras salmantinas.*
(Foto: Mondelo)

1 9 9 1 - 2 0 0 0

España ya no es diferente

1991 • Alfonso Guerra dimite como vicepresidente del Gobierno, por la utilización indebida que su hermano Juan hizo de un despacho en la Delegación del Gobierno en Andalucía. • Las bases aéreas españolas se convierten en escala y plataforma básicas para la guerra de Naciones Unidas contra Irak; bombarderos estratégicos norteamericanos B-52 realizan desde suelo español unas 300 misiones de bombardeo. • Fuerzas españolas participan en la operación de protección a los kurdos organizada por Naciones Unidas en el norte de Irak. • Los policías José Amedo y Michel Domínguez, condenados a 108 años de cárcel como organizadores de los GAL. • El ciclista Miguel Indurain gana el primero de cinco *Tours* de Francia consecutivos. • Un contable despedido, de origen chileno, revela a la prensa la trama *Filesa*, un sistema de financiación ilegal del Partido Socialista. • Autodisolución de la banda terrorista catalana Terra Lliure. • Se celebra en México la I Cumbre Iberoamericana. • Madrid, sede de la conferencia de paz de Oriente Medio. • Culmina la fase de expansión económica, con un total de 13,2 millones de empleos. El paro vuelve a subir y al terminar el año equivale al 16,97 por 100 de la población activa. • Un coche bomba de ETA contra la casa cuartel de Vich (Barcelona) causa siete muertos, entre ellos una anciana y cinco menores. ETA mata a 45 personas.

1992 • Detenida en el País Vasco francés la dirección de ETA, incluido el número 1 Francisco Múgica Garmendia, *Artapalo*. • Con motivo del V Centenario del Descubrimiento de América se inaugura en Sevilla una Exposición Universal: durante seis meses registrará 41 millones de visitas.

• Inaugurada la primera línea ferroviaria de Alta Velocidad Española, AVE, entre Madrid y Sevilla. • ETA asesina en Valencia al catedrático Manuel Broseta, ex secretario de Estado con UCD. • El Gobernador del Banco de España, Mariano Rubio, implicado en el supuesto uso de información privilegiada y en irregularidades fiscales. • Procesada por corrupción la ex directora general del Boletín Oficial del Estado, Carmen Salanueva. • Dimite el ministro de Sanidad, Julián García Valverde, por la compra irregular de unos terrenos durante su mandato como presidente de RENFE. • El Papa Juan Pablo II beatifica en Roma al fundador del Opus Dei, Josemaría Escrivá de Balaguer, 17 años después de su muerte. • Un total de 184 países participan en los Juegos Olímpicos de Barcelona, que se celebran con gran brillantez; los atletas españoles ganan 22 medallas. • Un cohete europeo, Ariane, pone en órbita al satélite español de comunicaciones Hispasat. • La peseta se devalúa dos veces en los últimos meses del año. • El Gobierno decide que fuerzas españolas (una Agrupación del Ejército de Tierra, un Escuadrón del Ejército del Aire y unidades navales) desplieguen respectivamente en Bosnia, Italia y el mar Adriático, como parte de la misión de interposición que Naciones Unidas lleva a cabo entre los bandos en guerra en la antigua Yugoslavia. Una docena de militares españoles perderán la vida, en accidentes y ataques, durante los años siguientes. • La población activa dedicada al sector primario baja por vez primera del 10 por 100 del total. • ETA mata a 26 personas. • El paro vuelve a superar el 20 por 100. • El Índice de la Bolsa toca fondo con un 214,3 sobre 1985.

1993 • La peseta vuelve a devaluarse. • El PSOE gana las elecciones generales en minoría, con 159 escaños, seguido del PP (141), IU (18), CiU (17), PNV (5), Coalición Canaria (4) y HB (2). • Seis militares y un conductor civil, asesinados en Madrid por un coche bomba de ETA. • ETA asesina en San Sebastián a José Antonio Goikoetxea Asla, sargento mayor de la Policía Autónoma vasca y militante del PNV. • El ministro del Interior, José Luis Corcuera, dimite tras la sentencia del Tribunal Constitucional en contra de la Ley de Seguridad Ciudadana. • Una investigación periodística denuncia el enriquecimiento irregular del director general de la Guardia Civil, Luis Roldán. • Tras una inspección del Banco de España que descubre falta de solvencia, el Gobierno interviene el Banco Español de Crédito y cesa a su presidente, Mario Conde. • El déficit público alcanza un máximo histórico del 7,49 por 100 del PIB, en tanto que la deuda llega al 59,9 por 100. El gasto público equivale al 49,64 por 100; las prestaciones sociales representan el 16,98. • ETA mata a 14 personas. • Nueva recesión de la economía española, cuyo PIB desciende un 1,1 por 100. • El número de parados supera los tres millones y la tasa de paro llega al 23,9 por 100 de la población activa.

1994 • Fracaso parcial de una nueva huelga general. • Irregularidades y falta de solvencia en la cooperativa de viviendas PSV-IGS, vinculada a la UGT. Nicolás Redondo dimite como secretario general del sindicato; le sucede Cándido Méndez. • La película «Belle Epoque», de Fernando Trueba, premiada con el *Oscar* a la mejor película extranjera. • Huye de España el ex director general de la Guardia Civil Luis Roldán. • Los jueces decretan prisión para el ex gobernador del Banco de España Mariano Rubio, el ex presidente de Banesto Mario Conde y el ex representante del grupo de inversión kuwaití, KIO, en España, Javier de la Rosa. • Por vez primera desde 1982 el PSOE pierde unas elecciones de ámbito nacional: el PP gana las elecciones al Parlamento Europeo con un 40,12 por 100 de los votos y 28 de los 64 escaños que corresponden a España. • ETA asesina en Madrid al teniente general Francisco Veguillas Elices, director general de Política de Defensa; en el atentado murieron también su conductor y un transeúnte. • Juan Hormaechea dimite como presidente de Cantabria tras ser condenado a seis años y un día de prisión y 14 de inhabilitación por sendos delitos de malversación de caudales públicos y prevaricación. • Después de tres años de retroceso el número de empleos ha quedado reducido a 12,47 millones. Los parados superan los tres millones y medio, equivalentes al 23,91 por 100 de la población activa, lo que constituye el máximo histórico del siglo. • El déficit público se reduce al 6,72 por 100, pero la deuda alcanza el 62,6 por 100 del PIB. • ETA mata a 13 personas. • Durante este año y el siguiente el crecimiento del IPC es del 4,3 por 100, la cifra más baja del periodo socialista.

1995 • ETA asesina en San Sebastián a Gregorio Ordóñez Fenollar, presidente del Partido Popular de Guipúzcoa, diputado vasco y teniente de alcalde de San Sebastián. • Luis Roldán se entrega a policías españoles en Tailandia. • La Infanta Elena, hija mayor de los Reyes, contrae matrimonio en Sevilla con Jaime de Marichalar. • Atentado frustrado de ETA en Madrid contra el presidente del PP, José María Aznar, quien salva la vida gracias al blindaje de su automóvil; la explosión causó la muerte de una mujer que vivía en la casa junto a la cual habían situado los terroristas un coche-bomba. • Identificados como pertenecientes a José Antonio Lasa y José Ignacio Zabala, dos jóvenes vascos que desaparecieron en el sur de Francia en 1983, unos restos humanos hallados en 1985 en la provincia de Alicante. • Amplia victoria del PP en las elecciones municipales y autonómicas; el partido gobernará, entre otras, las comunidades de Valencia, Madrid, Aragón, Asturias y Murcia. • El ex dirigente socialista vasco Ricardo García Damborenea afirma que el GAL fue organizado por el Gobierno socialista. • Ingresa en prisión Gabriel Urralburu, ex presidente socialista de Navarra, por supuesto enriquecimiento ilícito. • El ministro de Asuntos Exteriores, Javier Solana, nombrado secretario general de la OTAN. • Un coche-bomba de ETA mata en Madrid a seis trabajadores civiles al servicio de la Armada. ETA mata un total de 15 personas. • Comienza un nuevo ciclo alcista en la Bolsa, que se prolongará hasta 1999. • El paro desciende al 22,77 por 100.

1996 • Tras dos años y medio de legislatura, Felipe González disuelve las cámaras y convoca elecciones generales. • ETA asesina en San Sebastián al abogado y político socialista Fernando Múgica Hertzog, y en la Universidad Autónoma de Madrid al catedrático y ex presidente del Tribunal Constitucional Francisco Tomás y Valiente. Los estudiantes de esa Universidad inician el movimiento «Manos Blancas». Manifestación masiva antiterrorista en Madrid, a la que asiste el *lehendakari* José Antonio Ardanza y en la que se corea el lema «ETA no, vascos sí». • El Partido Popular gana por vez primera unas elecciones generales, con 156 escaños, seguido del PSOE (141), IU (21), CiU (16), PNV (5), CC (4) y HB (2). • José María Aznar, investido presidente del Gobierno con el apoyo del PP, CiU, PNV y CC. • El nuevo Gobierno emprende un plan de austeridad económica y anuncia la profesionalización integral de las Fuerzas Armadas, lo que supondrá la desaparición del Servicio Militar en el año 2001. Anuncia asimismo un plan de privatizaciones para reducir el déficit y acercarse a los criterios de convergencia europea, que incluye empresas como Telefónica, Repsol, Aceralia, Endesa e Iberia. • ETA asesina en Irún (Guipúzcoa) a Ramón Doral, agente de los servicios de información de la Policía Autónoma vasca. ETA mata durante el año a 5 personas. • El Gobierno aprueba la privatización de Telefónica, en la que el Estado tenía una participación del 21 por 100. • El Índice de la Bolsa crece un 38,9 por 100, hasta el 444,8. • El paro desciende hasta el 21,77 por 100. • La Deuda Pública alcanza un máximo del 68,2 por 100 del PIB.

1997 • Entran en servicio las primeras «plataformas digitales» de televisión: Canal Satélite Digital y Vía Digital, patrocinadas respectivamente por el grupo Prisa y

Telefónica. • Privatización total de Repsol y Aceralia.
• Felipe González dimite por sorpresa como secretario general del PSOE, durante el 34º Congreso del partido; el ex ministro Joaquín Almunia le sucede en el cargo. • ETA asesina en Madrid a Rafael Martínez Emperador, magistrado del Tribunal Supremo. • La Guardia Civil libera en Mondragón (Guipúzcoa) al funcionario de prisiones José Antonio Ortega Lara, tras permanecer 532 días secuestrado por ETA. • ETA secuestra y asesina en Guipúzcoa a Miguel Ángel Blanco Garrido, concejal del PP en Ermua (Vizcaya). Seis millones de españoles —la mayor movilización de la historia— participan en toda España en manifestaciones de protesta. • Ingresa en prisión la Mesa que dirige HB, tras haber sido condenados sus miembros por el Tribunal Supremo a siete años de prisión por colaboración con banda armada; durante la campaña de 1996 HB había cedido a ETA uno de sus espacios electorales gratuitos. • Condenados a penas de prisión los principales responsables de Filesa, entre ellos varios miembros de la dirección del PSOE. • España ingresa, con amplio respaldo parlamentario, en la estructura militar de la OTAN. • La Infanta Cristina contrae matrimonio en Barcelona con Iñaki Urdangarín, jugador del equipo de balonmano del club de fútbol Barcelona. • ETA asesina en Irún (Guipúzcoa) a José Luis Caso, concejal del PP en el ayuntamiento vecino de Rentería. ETA mata un total de 13 personas. • El Índice de la Bolsa llega al 632,6, tras crecer un 42,2 por 100. • La inflación baja al 2 por 100, la cifra más baja desde 1959. • El paro desciende al 20,32 por 100.

1998 • ETA asesina a cuatro concejales más del PP: José Ignacio Iruretagoyena (Zarauz), Tomás Caballero (Pamplona), Manuel Zamarreño (Rentería) y Alberto Jiménez-Becerril (Sevilla), en este último caso junto con su mujer, Ascensión García Ortiz. • El Gobierno aprueba la venta del porcentaje que mantenía en Endesa. • Fuerte expansión de las inversiones españolas en Iberoamérica, sobre todo en los sectores de banca, energía y telecomunicaciones, que convierten a España en el primer país inversor en la región, con 1,84 billones de pesetas en este año y alrededor de 3,5 billones en los años noventa. • El ex ministro José Borrell vence al secretario general Joaquín Almunia en las elecciones primarias celebradas por el PSOE para designar candidato a la presidencia del Gobierno. • España cumple las condiciones económicas para formar parte de la nueva moneda única europea, el euro. • Euskal Herritarrok, nueva formación política radical que sustituye a Herri Batasuna, inicia negociaciones con el PNV. • La Infanta Elena da a luz a Felipe Juan Froilán, primer nieto de los Reyes Juan Carlos y Sofía. • El juez de la Audiencia Nacional Baltasar Garzón clausura el diario guipuzcoano *Egin*, tras una investigación policial que muestra conexiones entre la financiación del periódico y la banda terrorista ETA. • Luis Roldán y Gabriel Urralburu condenados, respectivamente, a 28 y 11 años de prisión por enriquecimiento ilícito. • Mario Conde, condenado a 4 años y seis meses por apropiación indebida.

• ETA anuncia una tregua indefinida tras acordar con el PNV la formación de un frente independentista. Partidos y organizaciones de carácter nacionalista firman en Estella (Navarra) un pacto destinado a sustituir el Estatuto de Autonomía del País Vasco por un proceso independentista que englobe a Navarra y el País Vasco francés. • Aunque el PNV continúa siendo el más votado, los partidos firmantes del Pacto de Estella sufren un retroceso global de cuatro escaños en las elecciones al Parlamento vasco. • El juez Garzón solicita a Gran Bretaña la extradición del ex presidente y dictador chileno Augusto Pinochet, quien se encontraba en Londres para someterse a una operación quirúrgica; tras un largo proceso de casi año y medio, el Gobierno británico le pondrá en libertad por razones humanitarias. • El ex ministro del Interior José Barrionuevo y el ex secretario de Estado de Seguridad Rafael Vera, entre otros, condenados a prisión por el secuestro en 1983, en el País Vasco francés, de Segundo Marey, un ciudadano ajeno al terrorismo. • Francisco Frutos sucede a Julio Anguita como secretario general del PCE. • ETA mata a 6 personas. • Nueva marca histórica de baja inflación: el IPC sólo crece el 1,4 por 100. • El paro desciende al 18,17 por 100. La tasa de fecundidad llega al mínimo del siglo —1,15 hijos por mujer—, poco más que la mitad de la tasa de reemplazo; la cifra es la más baja de la Unión Europea y del mundo. • La Bolsa crece un 37,2 por 100 y llega al 867,8.

1999 • Entra en vigor el euro, aunque el cambio físico de las monedas no se producirá hasta el 2002. Un euro equivale a 166,86 pesetas. • El *peneuvista* Juan José Ibarretxe toma posesión como presidente del Gobierno vasco, tras ser elegido con el apoyo de EH y EA; forma gobierno de coalición con este último partido. • Fuerzas españolas participan en las operaciones de bombardeo de Yugoslavia y de ocupación de Kosovo, efectuadas por la OTAN para impedir la «limpieza étnica» serbia. • El Partido Popular gana las elecciones europeas, municipales y autonómicas, aunque el PSOE consigue desplazarle, mediante diversas coaliciones, de los gobiernos de Aragón, Asturias y Baleares, así como en la ciudad de Sevilla. • Loyola de Palacio, cabeza de la lista del PP al Parlamento europeo, nombrada vicepresidenta de la Unión Europea. • Por vez primera desde 1971 ETA no produce en el año ninguna víctima mortal, pero rompe la tregua después de catorce meses de vigencia, ante la parálisis del proceso independentista pactado el año anterior con el PNV. • La fuerte subida del petróleo eleva el IPC al 2,9 por 100. • El paro se reduce hasta el 15,43 por 100 de la población activa, la cifra más baja desde 1981. • Ligero repunte de la tasa de fecundidad, hasta 1,19 hijos por mujer. • El déficit público se reduce al 1,1 por 100 del PIB. • El Índice de la Bolsa de Madrid llega al 1.008,57 sobre 1985. En la primera legislatura del PP el crecimiento ha sido del 315,08 por 100. El volumen de la contratación alcanza 37,388 billones de pesetas. • Venta del 40 por 100 de Iberia y diseño de un plan para su privatización total y salida en bolsa en el último trimestre del año 2000, que se demorará hasta abril de 2001.

2000 • Primer asesinato de ETA después de la tregua: un coche-bomba mata en Madrid al teniente coronel Pedro Antonio Blanco García. • ETA asesina en Vitoria a Fernando Buesa, diputado socialista en el Parlamento Vasco, ex vicepresidente del Gobierno vasco y ex diputado general de Álava, junto con su escolta el *ertzaina* Jorge Díez Elorza. • El Partido Popular gana las elecciones generales por mayoría absoluta (183 diputados), en tanto que retroceden el PSOE (125), Izquierda Unida (8) y CiU (15). • La película «Todo sobre mi madre», de Pedro Almodóvar, premiada con el *Oscar* a la mejor película extranjera. • El número de teléfonos móviles supera a los fijos. La estimación para final de año es de 25 millones de móviles, junto con casi 20 millones de fijos. • El VII Congreso de Comisiones Obreras elige nuevo secretario general al médico José María Fidalgo. • ETA reemprende el asesinato de concejales del Partido Popular en el País Vasco, Andalucía y Cataluña, y mata asimismo en Andoain (Guipúzcoa) a José Luis López de la Calle, miembro del Foro de Ermua y colaborador del diario *El Mundo*. • El 35 Congreso del Partido Socialista elige secretario general al joven diputado leonés (40 años) José Luis Rodríguez Zapatero, que consigue 9 votos más que el presidente de Castilla-La Mancha, José Bono. • El voto sumado del PP, PSOE y Unidad Alavesa gana las mociones de censura que los dos primeros partidos presentan en el Parlamento Vasco contra el *lehendakari* Ibarretxe, pero éste puede seguir en el cargo gracias a que la oposición no tiene mayoría absoluta. • Detenido en el sur de Francia Iñaki de Rentería, considerado desde hace años como uno de los principales jefes de ETA. • La banda terrorista asesina en Granada al fiscal jefe del Tribunal Superior de Justicia de Andalucía, Luis Portero. • El diputado asturiano Gaspar Llamazares supera por un voto al secretario general del PCE, Francisco Frutos, en la elección de Coordinador General de Izquierda Unida. • Se celebra el último sorteo de mozos de reemplazo para el Servicio Militar. • Detenida en París la dirección del GRAPO. • ETA asesina en Barcelona al ex ministro socialista Ernest Lluch. • Se celebran los 25 años del reinado de Juan Carlos I. • Segundo año consecutivo de fuerte aumento del precio del petróleo, que hace subir la inflación hasta el 4 por 100 interanual. • La mayor ofensiva de ETA desde 1987 causa la muerte de 23 personas. Otras tres personas son asesinadas por el GRAPO. • El Consejo de Ministros concede de una sola vez 1.443 indultos, que benefician entre otros a los tres principales condenados por el asunto Filesa y al juez Javier Gómez de Liaño. • El Partido Popular y el Socialista suscriben, con el respaldo del Gobierno, un Acuerdo por las Libertades y contra el Terrorismo, que exige al PNV la ruptura formal del Pacto de Estella y reclama la unidad de las fuerzas democráticas en el marco de la Constitución y el Estatuto de Autonomía del País Vasco. • El paro se reduce al 13,6 por 100 de la población activa. Desde 1996 se han creado más de dos millones de puestos de trabajo. • España

es el quinto país del mundo con mayor esperanza de vida —72,8 años—, detrás de Japón, Australia, Francia y Suecia, según datos de la Organización Mundial de Salud. La estimación del Instituto Nacional de Estadística para el año 2000 es que la esperanza de vida media de los españoles es de 78,73 años: 82,71 las mujeres y 75,45 los hombres. • El 97,17 por 100 de los españoles saben leer y escribir. La práctica totalidad de los niños se encuentran escolarizados entre los 6 y los 16 años. • Las Pensiones son la principal partida del Presupuesto de Gastos del Estado (27,7 por 100), seguidas por la financiación a las Administraciones Territoriales (13,8), la Sanidad (13,2), el servicio de la Deuda (8,3), el Desempleo (4), las Infraestructuras (3,6), la Agricultura (3,5), la participación en la Unión Europea (3,4), otras Prestaciones Sociales (3,3) y la Defensa (2,7). Los Impuestos Directos y las Cotizaciones Sociales suman más de la mitad de los Ingresos no financieros del Estado (62,3 por 100), seguidos por los Impuestos Indirectos (27), las Transferencias Corrientes (4,1) y los Ingresos Patrimoniales (3,1). El déficit público se reduce al 0,3 por 100 del PIB, la cifra más baja desde 1975. • El gasto público equivale al 42 por 100 del PIB y la deuda pública ha descendido al 60 por 100. • El número de ocupados en la Agricultura baja del millón de personas, y representan apenas el 6,8 por 100 del total de ocupados, en tanto que los Servicios emplean al 62,2, la Industria al 19,9 y la Construcción al 11 por 100. • Los Presupuestos del Estado estiman el PIB del año 2000 en 99.943 billones de pesetas, equivalentes a 2,5 millones de pesetas (15.025 euros) *per capita*. • La renta de los españoles equivale al 83 por 100 de la renta media de la Europa comunitaria, lo que constituye un máximo histórico. • El número de nacimientos crece por quinto año consecutivo, y la tasa de fertilidad sube a 1,23 hijos por mujer (1,20 en 1999), gracias en buena medida a la inmigración. El crecimiento vegetativo pasa de 7.386 habitantes en 1999 a 36.608. • El Instituto Nacional de Estadística modifica las previsiones de población para los primeros decenios del siglo: calcula una tasa de fertilidad creciente, hasta llegar a 1,42 hijos por mujer en el 2020. El aumento de la inmigración lleva a la presidenta del INE, Carmen Alcaide, a estimar que en el 2000 se han superado los 40 millones de habitantes, y que el crecimiento neto seguirá al menos hasta el 2020, con casi 42 millones de habitantes calculados. • La crisis de los valores ligados a nuevas tecnologías hace perder un 12,68 por 100 al índice general de la Bolsa de Madrid, que cierra el año en 880,71. El volumen de contratación asciende a 65,43 billones de pesetas (393.242 millones de euros). El conjunto de las bolsas españolas negocia durante el año un total de 88,68 billones de pesetas (532.978 millones de euros), de los que un 92,35 por 100 corresponde a renta variable, el 7,47 por 100 a renta fija y el 0,18 por 100 restante a opciones de compra o venta de activos. • El Gobierno presenta un anteproyecto de Ley de Estabilidad Presupuestaria, para asegurar el equilibrio de las cuentas de todas las Administraciones Públicas.

Madrid, 29-10-1991.
George Bush, el Rey de España, Mijail Gorbachov y Felipe González durante la cena ofrecida por S. M. en el Palacio de la Zarzuela a delegados de la Cumbre de Madrid. (Foto: Manuel H. de León)

Vich (Barcelona), 29-5-1991.
Rescate del cuerpo sin vida de una de las víctimas del atentado que sufrió el Cuartel de la Guardia Civil con un coche bomba.
(Foto: Lluis Gené)

Toledo, 15-4-1991.
Fotografía tomada por el corresponsal gráfico de la Agencia Efe en Toledo, José Luís Pérez Fernández.
Premio «Ortega y Gasset» de Periodismo Gráfico

Sevilla, 14-4-1992.
El tren de alta velocidad español, AVE, a su llegada a la terminal de la Expo-92, en su viaje inaugural procedente de Madrid. (Foto: Julio Muñoz)

Sevilla, 8-10-1992.
Vista del tren monorraíl en el recinto de la Expo Universal. (Foto: Eduardo Abad)

Sevilla, 20-4-1992.
Momento en que las banderas de todos los países participantes en la Expo 92 son elevadas al cielo sevillano, durante la inauguración de la muestra. (Foto: Emilio Morenatti)

Barcelona, 25-7-1992.
Vista general del estadio Olímpico de Montjuich, durante la ceremonia de inauguración de los Juegos Olímpicos. (Foto: Lluis Gené)

Barcelona, 25-7-1992.
El Príncipe de Asturias, abanderado del equipo olímpico español en los Juegos de Barcelona, saluda a los asistentes a la ceremonia inaugural.
(Foto: Julián Martín)

Barcelona, 9-8-1992.
La Familia Real y varios ministros del Gobierno celebran uno de los tantos conseguidos por España, en la final de waterpolo contra Italia.
(Foto: Barriopedro). Premio Ortega y Gasset 1992.

Barcelona, 3-8-1992.
Juegos Olímpicos. Fermín Cacho entra en la meta del Estadio Olímpico como ganador de la primera serie clasificatoria de 1500 m.; con posterioridad lograría la medalla de oro. (Foto: Lluis Gené)

Barcelona, 31.7.92.
Juegos Olímpicos. El atleta español Daniel Plaza ondea las banderas de España y Cataluña tras vencer en la prueba de 20 kms. marcha. Con esta victoria, Plaza consiguió la primera medalla de oro del atletismo español. (Foto: Andreu Dalmau)

Barcelona, 5-8-1992.
Juegos Olímpicos. Una saltadora de trampolín durante la prueba de 10 metros. Al fondo, la ciudad de Barcelona con la Sagrada Familia.
(Foto: Txema Fernández)

Barcelona, 3-9-1992.
Juegos Paralímpicos. Desfile
de la delegación española en
la ceremonia inaugural en el
estadio de Montjuich.
(Foto: J. Crespo)

Barcelona, 8-9-1992.
Juegos Paralímpicos. El
surafricano Pieter
Bandenhorst entra vencedor
en la final de 400 metros.
(Foto: Lluis Gené)

Sevilla, 1-5-1992.
Manolo Montoliú, subalterno de la cuadrilla de José Mari Manzanares,
muere al ser empitonado por el toro, en la Feria de Abril. (Foto: Emilio
Morenatti)

San Sebastián, 5-7-92.
Tour de Francia 1992. Miguel Induráin durante la etapa contrarreloj de San Sebastián en la que se proclamó ganador. (Foto: Mondelo)

El Escorial, 3-4-1993.
El féretro con los restos del Conde de Barcelona es recibido por el rey Juan Carlos y el príncipe de Asturias,
a su llegada al Monasterio de El Escorial. (Foto: Manuel P. Barriopedro)

El Escorial, 3-4-1993.
Los Reyes de España, con gesto emocionado, hacen entrega de los restos del conde de Barcelona, don Juan de Borbón, al prior del Monasterio de San Lorenzo de El Escorial. (Foto: Ángel Millán)

Mostar (Bosnia), 22-5-1993.
*Soldados españoles de la
Agrupación Canarias,
pertenecientes a las tropas
de la ONU destacadas en
Bosnia, patrullan por las
calles de la ciudad.*
(Foto: Kote Rodrigo)

Mostar (Bosnia), 16-10-1993.
*Los «cascos azules»
españoles, Javier Moares e
Iván Martín, juegan con un
niño musulmán en el sector
este de la ciudad.* (Foto: Kote
Rodrigo)

Mostar (Bosnia), 24-5-1993.
Un legionario español de la Agrupación Canarias, intenta convencer a una anciana para que evacue una zona de máximo peligro en la ciudad bosnia de Mostar. (Foto: Kote Rodrigo)

Sevilla, 25-04-94.
La soldado Pilar Brocano abraza cariñosamente a su novio en el aeropuerto sevillano, momentos antes de partir hacia Bosnia con el último contingente de cascos azules españoles. (Foto: Julio Muñoz)

Madrid, 4-6-1993.
El presidente del Gobierno y candidato presidencial por el PSOE, Felipe González, lanza un ramo de flores al público en presencia del juez Baltasar Garzón, número dos al Congreso por Madrid, durante el mitin-fiesta celebrado en la Casa de Campo. (Foto: Manuel P. Barriopedro)

Palma de Mallorca, 8-8-1993.
Miembros de la tripulación del velero «Bribón» lanzan al rey Juan Carlos a la piscina del club naútico, tras ganar la XII Copa del Rey de Vela. (Foto: Manuel H. de León)

Madrid, 1-10-1993.
La modelo Naomi Campbell, estrella de la Pasarela Cibeles. (Foto: Ángel Díaz)

Valencia, 9-10-1993.
La cantante Rocío Jurado, en una interpretación apasionada de un pasodoble durante su actuación
especial en el Festival de la OTI. (Foto: J. C. Cárdenas)

Madrid, 22-4-1994.
El ex director general de la Guardia Civil, Luis Roldán, abordado por los periodistas al abandonar el juzgado donde se le notificó su procesamiento.
(Foto: Óscar Moreno)

Goma (Zaire), 06-08-94.
La española Carmen Garrigós, de UNICEF, pide agua para estos niños deshidratados que sujeta en sus brazos, en el campo de refugiados de Goma.
(Foto: Ángel Díaz)

Écija, Sevilla, 18-05-94.
La reina Sofía acaricia un burro de pocas semanas durante la visita que realizó a la yeguada militar de La Turquilla. (Foto: Eduardo Abad)

Babolna (Hungría), 13-09-96.
La reina Sofía recibe las caricias de un potro de raza española, durante la visita de los Reyes de España a la empresa agropecuaria de Babolna. (Foto: José Huesca)

Sevilla, 18-3-1995.
El rey don Juan Carlos lleva del brazo a la infanta Elena hacia la Catedral de Sevilla, donde contraerá matrimonio con Jaime de Marichalar.
(Foto:Luis Lavín)

Madrid, 19-4-1995.
Estado en el que quedó el coche blindado donde viajaba el presidente del PP, José María Aznar, tras sufrir un atentado de ETA con coche bomba en la confluencia de las calles José Silva y Arturo Soria.
(Foto: Óscar Moreno)

Sevilla, 7-11-1994.
El segundo toro de la corrida de la Prensa salta al callejón, provocando el consiguiente susto a los espectadores de la Real Maestranza.
(Foto: Julio Muñoz). Premio holandés Krantefoto «Mejor de la Prensa de 1994»

París 2-6-1995.
Arantxa Sánchez Vicario durante el torneo de tenis Roland Garros. (Foto: Paco Campos). IV Premio Europeo Fujifilm de Fotografía de Prensa, en la categoría de Deportes

París, 7-6-1995.
Sergio Bruguera, durante el partido de cuartos de final de Roland Garros. (Foto: Paco Campos)

Madrid, 15-2-1996.
Miles de estudiantes se concentran en el campus de la Universidad Autónoma para protestar por el asesinato de Francisco Tomás y Valiente. (Foto: Manuel P. Barriopedro)

Madrid, 3-3-1996.
Mariano Rajoy, Francisco Álvarez Cascos, José María Aznar, Ana Botella y Rodrigo Rato saludan desde el balcón de la sede del PP a los simpatizantes allí congregados, tras conocer los resultados de las elecciones generales. (Foto: Óscar Moreno)

Madrid, 24-06-96.
El rey Juan Carlos observa cómo el presidente chino, Jiang Zemin, peina sus cabellos durante la recepción ofrecida en el Palacio de El Pardo. (Foto: José María Pastor)

Santa Cruz de Tenerife, 8-4-1996.
Joaquín Cortés presenta su «Pasión Gitana». (Foto: Cristóbal García)

Atlanta, 25-7-1996.
Juegos Olímpicos. La gimnasta española Mónica Martín, en un momento de su actuación en la final de gimnasia artística con aparatos.
(Foto: José María Pastor)

Atlanta, 29-7-96. Juegos Olímpicos
El gimnasta español Jesús Carballo, durante la ejecución de sus ejercicios en barra fija.
(Foto: Manuel P. Barriopedro)

Biescas (Huesca), 7-8-1996.
Rescate de cadáveres en el camping Las Nieves de Biescas (Huesca), arrasado por una riada, en el que perecieron 87 personas.
(Foto: Pablo Otín). Premio de fotografía «Ortega y Gasset» 1996

Madrid, 20-6-1997.
El secretario general del PSOE, Felipe González, es aplaudido al término de su intervención en la primera sesión del 34º Congreso Federal del partido, donde anunció que no se presentaba a la reelección de su cargo. (Foto: Ángel Díaz)

Burgos, 1-7-1997. El secuestro más largo
José Antonio Ortega Lara, en compañía de su esposa Domitila, llega a su domicilio después de haber sido liberado por la policía tras permanecer secuestrado por ETA 532 días en un zulo. (Foto: Jetxu)

Barcelona, 14-7-1997.
Más de medio millón de personas asistieron con pañuelos blancos en señal de paz a la manifestación en protesta por el asesinato de Miguel Ángel Blanco. (Foto: Andreu Dalmau)

Madrid, 14-7-1997.
Vista aérea de la manifestación por la Paz, la Unidad y la Libertad, en protesta por el asesinato de Miguel Ángel Blanco. (Foto: Óscar Moreno)

Barcelona, 4-10-1997.
La infanta Cristina y su esposo Iñaki Urdangarín saludan en el coche descubierto, a la salida de la Catedral. (Foto: Ángel Díaz)

Amsterdam (Holanda), 17-6-1997.
José María Aznar se dirige en bicicleta al hotel Amstel, donde se celebra el almuerzo de trabajo de los jefes de Gobierno que asisten a la cumbre de la Unión Europea. (Foto: Ramón Castro)

Sevilla, 20-8-1997.
El nadador francés Xavier Marchand en la prueba de 400 metros estilos, durante los Campeonatos de Europa de Natación. (Foto: Paco Campos). Premio Concurso Internacional de Fotografía «Ciudad de Jaca»

Madrid, 13-6-1997.
El presidente del Gobierno, José María Aznar, conversa con los anteriores presidentes constitucionales, a quienes ofreció un almuerzo en el Palacio de la Moncloa. De izquierda a derecha: Leopoldo Calvo Sotelo, Aznar, Adolfo Suárez y Felipe González. (Foto: J. M. Espinosa)

Madrid, 2-3-1998.
El jefe del Gobierno, José María Aznar, preside en la Fábrica Nacional de Moneda y Timbre la presentación de los «Anversos españoles de las monedas Euro».
(Foto: Ángel Díaz)

Madrid, 30-1-1998.
El príncipe de Asturias, Felipe de Borbón, posa para los medios informativos con motivo de su 30ª cumpleaños, acompañado por su padre, el rey Juan Carlos, en los jardines de La Zarzuela.
(Foto: Ángel Millán)

Oviedo, 23-10-1998.
Las galardonadas con el premio Príncipe de Asturias de Cooperación Internacional, Graça Machel, Fatiha Boudiaf, Rigoberta Menchú, Emma Bonino, Gatana Ishaq Gailani , Olayinka Koso-Thomas y Somaly Man, de izquierda a derecha, saludan tras recibir el premio de manos de don Felipe de Borbón.
(Foto: José Luis Cereijido)

Hamallaj (Albania), 19-5-1999.
Una familia albanesa llega al campamento español de Hamallaj, al oeste de Tirana

Rabat, 25-7-1999.
El rey de España, Juan Carlos de Borbón y el de Marruecos, Mohamed VI, visiblemente emocionados, durante una reunión tras el fallecimiento del rey Hassan II. (Foto: Manuel H. de León)

Barcelona, 1-1-2000.
Montaje de teatro digital «El hombre del milenio», realizado por la Fura dels Baus en la Plaza de Cataluña. (Foto: Lluis Gené)

Madrid, 10-3-2000.
El presidente del Gobierno y candidato a la reelección, José María Aznar, se dirige a los asistentes al mitin de cierre de campaña electoral del PP. (Foto: José Huesca)

Bilbao, 10-3-2000.
El lehendakari Juan José Ibarretxe y el presidente del PNV, Javier Arzallus, durante el mitin de cierre de campaña electoral del partido.
(Foto: Txema Fernández)

Madrid, 23-7-2000.
El nuevo secretario general del PSOE, José Luis Rodríguez Zapatero, durante su intervención en el acto de clausura del 35º Congreso Federal del partido. (Foto: José Luis Pino)

San Sebastián, 29-7-2000.
El ex gobernador civil de Vizcaya, Daniel Arranz, llora emocionado sobre el féretro de su compañero del Partido Socialista, el ex gobernador civil de Guipúzcoa Juan María Jaúregui, asesinado por ETA. (Foto: Luis Tejido)

Madrid, 30-8-2000.
El presidente del Gobierno, José María Aznar, da el pésame al padre de Manuel Indiano, concejal del PP asesinado por ETA en Zumárraga (Guipúzcoa), durante el funeral celebrado en Madrid. (Foto: Alberto Martín)

Tarifa (Cádiz), 13-8-2000.
Un grupo de inmigrantes clandestinos africanos desembarca en la playa de Punta Paloma. (Foto: Ragel)

Hernani (Guipúzcoa), 16-9-2000.
Los Reyes de España asisten a la inauguración del Museo Chillida-Leku, acompañados por la presidenta del Senado, Esperanza Aguirre; el lehendakari Juan José Ibarretxe y su esposa; la ministra de Educación, Pilar del Castillo; el Defensor del Pueblo, Enrique Múgica; la vicepresidenta del Parlamento Europeo, Loyola de Palacio, y el escultor Eduardo Chillida y su esposa. (Foto: Juan Herrero)

Sydney (Australia),
30-9-2000.
*Iñaki Urdangarín es lanzado
al aire por sus compañeros
tras vencer a la selección
yugoslava de balonmano y
ganar la medalla de bronce
en los Juegos Olímpicos.*
(Foto: Andreu Dalmau)

Sydney (Australia),
28-9-2000.
*Alegría de la atleta española
María Vasco, medalla de
bronce en los Juegos
Olímpicos al llegar tercera en
la final femenina de 20 kms
marcha.* (Foto: Emilio
Morenatti)

Zaragoza, 8-10-2000.
Multitudinaria manifestación convocada por sindicatos y organizaciones empresariales contra el trasvase del Ebro y el Plan Hidrológico Nacional (PHN). (Foto: Javier Cebollada)

Madrid, 27-10-2000.
El presidente del Gobierno, José María Aznar, y el primer ministro británico, Tony Blair, durante su visita al colegio público «San Juan Evangelista». (Foto: Óscar Moreno)

Madrid, 30-10-2000.
Atentado de ETA con coche bomba contra el magistrado del Tribunal Supremo Francisco Querol, muerto junto a su chófer, el escolta y el conductor de un autobús de la EMT que pasaba por el lugar. Otras treinta y tres personas resultaron heridas. (Foto: Enrique Cerdán)

La Algaba (Sevilla), 22-10-2000.
Curro Romero anuncia su retirada tras torear en un festival taurino en La Algaba, en el que cortó dos orejas.
(Foto: Julio Muñoz)

Santo Domingo (República Dominicana), 15-11-2000.
Los Reyes de España bailan junto al presidente dominicano, Hipólito Mejía y su esposa, en presencia del canciller Hugo Tolentino Dipp, después de la cena ofrecida en su honor. (Foto: Borja)

Barcelona, 10-12-2000.
Albert Costa, Alex Corretja,
Joan Balcells y Juan Carlos
Ferrero (i-d), miembros del
equipo español ganador de la
Copa Davis, posan con el
trofeo. (Foto: Andreu Dalmau)

Mogarraz (Salamanca),
15-12-2000.
La maestra posa con los
alumnos de la misma escuela
de Mogarraz de las
fotografías de 1900. Los
81 alumnos de un siglo antes
han quedado reducidos a 12.
(Foto: Margareto)

Tal como fuimos

Cuando pase el tiempo y los hechos del pasado reciente sean historia antigua, es posible que la España del siglo XX quede reducida para la inmensa mayoría a tres acontecimientos relevantes: la Guerra Civil, la Transición a la democracia y el éxito económico que permitió la superación de la pobreza secular, no mucho después de que el mismo fenómeno se produjese en la América del Norte y en Europa Occidental, y al mismo tiempo que en algunos países de Extremo Oriente.

La Guerra Civil tenía raíces antiguas, surgidas en los primeros decenios del siglo XIX por el choque entre la modernidad liberal y la tradición absolutista, pero en los años Treinta del siglo XX esa disputa fue impulsada por el auge espasmódico de los totalitarismos —comunista y fascista— en gran parte de Europa. La yuxtaposición del conflicto español con la Segunda Guerra Mundial aumentó la intensidad y duración de la crisis. En sentido amplio, el enfrentamiento civil duró 43 años: desde la rebelión del PSOE y el nacionalismo catalán contra el Gobierno republicano de centro derecha en octubre de 1934, hasta los Pactos de la Moncloa de octubre de 1977, coronados un año más tarde por la primera Constitución de consenso de la historia de España.

Sesenta años después del final de la guerra, está aún lejos de producirse un consenso sobre las causas, desarrollo y resultados del conflicto. Una de las cuestiones más polémicas fue la de las víctimas directas e indirectas, lo que se debe en gran parte a que la represión de los enemigos políticos, efectuada de forma masiva por ambos bandos, casi igualó la cifra de los caídos en combate. En el último estudio publicado —«Salvar la memoria», de Ángel David Martín Rubio, en 1999— se ofrece la cifra de 263.635 muertos, de ellos 132.266 en combate (una media de 133,8 al día), 56.577 víctimas de la represión republicana (de las cuales 6.832 sacerdotes y religiosos) y 74.792 víctimas de la represión nacional, parte de esta última llevada a cabo en los años de la posguerra.

A esa cifra, sin embargo, cabe añadir 330.783 fallecidos por la sobremortalidad inherente a una guerra prolongada: enfermedades, desnutrición, falta de asistencia y otros supuestos que se prolongaron durante el decenio de los Cuarenta. De una u otra forma, en torno a 600.000 españoles perdieron la vida a causa de la violencia política extrema que caracterizó a los años Treinta. Sumados al exilio de gran número de vencidos y al descenso de la natalidad inducido por el conflicto, la conclusión es que el impacto demográfico del enfrentamiento civil superó ampliamente la cifra mítica del millón de españoles, aunque no todos ellos puedan clasificarse como «muertos».

El daño a la economía ha sido estimado, por diversos autores, entre un 20 y un 25 por 100 de la renta nacional. En 1962 la Comisaría del Plan de Desarrollo calculó el coste de las operaciones militares de 1936-39 en 300.000 millones de pesetas, equivalentes a 7,5 billones de pesetas del año 2000. La crisis económica iniciada en 1930, a causa de la depresión mundial que siguió al *crac* de la Bolsa de Nueva York en 1929, se prolongó en España un cuarto de siglo, debido a la inestabilidad política durante la Segunda República, la Guerra Civil, la Segunda Guerra Mundial y el aislamiento diplomático posterior. Sólo en 1953 se recuperaron los índices de renta que ya existían en 1929.

Su única utilidad —si es que dicho término tiene sentido ante una crisis de tales proporciones— fue la *vacuna* que inyectó en la sociedad. Cuando en 1975 finalizó la Dictadura del General Francisco Franco y 35 millones de españoles tuvieron de nuevo el destino del país en sus manos, la preocupación básica de la inmensa mayoría fue que no volviera a producirse una guerra civil. Ese mensaje de moderación fue comprendido y asumido por la práctica totalidad de las fuerzas políticas, con lo que por vez primera en la historia se estableció en España una democracia estable. Nadie consiguió todos sus objetivos, pero se estableció un espacio de convivencia como nunca lo habían tenido los españoles y con una clara tendencia a funcionar mejor a medida que pasaba el tiempo.

Este segundo intento de democratización coincidió con una nueva crisis económica mundial —los «choques» del petróleo de 1973 y 1979—, pero tras diez años de estancamiento, a mediados de los Ochenta y en paralelo con el ingreso en la Unión Europea, comenzó un nuevo periodo de crecimiento que a final de siglo situaba al país en un camino de evidente progreso, con las cuentas públicas equilibradas, paz laboral, creación de más de dos millones de nuevos puestos de trabajo, una proyección exterior —política y económica— sin precedentes desde comienzos del XIX, y cada año más cerca de la media de renta comunitaria.

Con ello alcanzaba pleno sentido lo que, por debajo de la espuma y el oleaje de los acontecimientos relevantes, ha sido el mar de fondo del pueblo español durante los últimos cien años; lo que con toda justicia el profesor Juan Velarde Fuertes ha llamado la cuarta epopeya histórica de los españoles[1]: el esfuerzo colectivo para superar el pesimismo y la pobreza que dominaban la España de 1900.

«Los artífices de esta gran tarea nacional española —destaca Velarde— fueron los banqueros vascos y madrileños, los industriales catalanes, los agricultores exportadores, los abastecedores de cereales al interior, los ingenieros y otros técnicos que surgían de Escuelas técnicas muy exigentes, los militares que presionaron para que existiese un esfuerzo industrializador, los políticos y altos funcionarios públicos que plantearon, como necesidad nacional básica, un fuerte desarrollo económico, así como las miríadas de pequeños empresarios —agricultura y pesca, industria, construcción y servicios, desde al comercio al turismo—, todos los cuales emprendieron la tarea de atender demandas insatisfechas, aparte de millones de obreros de todo tipo, así como emigrantes que remitían sus ahorros a los hogares; profesionales que crearon seguridad jurídica para la vida de los negocios y que impulsaron portentosos avances sanitarios; finalmente, profesores universitarios de Economía de la Escuela de Madrid, encabezados precisamente en 1898 por José María Zumalacárregui, Francisco Bernis y Antonio Flores de Lemus, que señalaban los errores de la marcha a aquellos políticos».

Todavía en los años Cincuenta los niños españoles encontraban en sus primeros años de escuela una página de los libros en la que se *enseñaba* que, en comparación con otras naciones de Europa, España era un país pobre, condición que era preciso asumir. Se trataba, probablemente, del interés por ofrecer una explicación desde la naturaleza a los errores de la política. Pero la sociedad tenía otras miras, que permiten explicar muchas actitudes colectivas que no han sido comprendidas por entero. Con todas las deficiencias propias de la acción humana, el pueblo español promovió y rechazó las políticas que entendía favorables o perjudiciales a ese anhelo colectivo de superación de la pobreza. Criticó la colonización de Marruecos, por exigir unas acciones bélicas que consumían vidas humanas y recursos, a un coste excesivo para el supuesto beneficio de proyección exterior del país. No mostró entusiasmo por tomar parte en las guerras mundiales. Asistió con disgusto a la inestabilidad política de los últimos decenios de la Restauración, tras la división de

---

[1] Las tres anteriores serían la Reconquista, la contribución a crear un orden católico en Europa y el descubrimiento y colonización de América.

los partidos dinásticos, lo que explica la favorable acogida inicial que tuvo el dictador Miguel Primo de Rivera. Contempló con indiferencia la caída de este último cuando al bloqueo institucional del sistema se sumó el deterioro económico. Acogió con esperanza la República, que ofrecía nuevos horizontes de libertad, educación y justicia social. Se dividió en el clima de progresiva hostilidad que protagonizó la clase política republicana y pagó el durísimo precio de una guerra civil por la posición dominante que adquirieron unas posturas extremas, radicales e incompatibles entre sí, que buscaban vencer en lugar de convencer. Soportó luego, con resignación y no poco dolor, la interminable convalecencia de un nuevo orden dictatorial que sólo de forma progresiva recuperó la economía y permitió la reanudación de las expectativas sociales. Dio la espalda a ese régimen —aunque no al precio de una ruptura institucional que podía haber puesto en peligro el bienestar alcanzado— cuando su anacronismo e inflexibilidad resultaron insoportables para una nueva mayoría de opinión. Alentó una pacífica transición a la democracia que sorprendió a cuantos desconocían las interioridades del alma de esa generación de españoles. Llevó hasta límites insospechados la flexibilidad para encajar en el sistema constitucional a la práctica totalidad de reclamaciones políticas. Había seguido con atención el éxito político y económico de Europa Occidental en la posguerra y comprendió la necesidad de abrir el país a la integración europea, que consiguió un inusual respaldo unánime. Impuso cuando le pareció oportuno la pacífica alternancia en el poder, que se llevó a cabo de forma ejemplar. Amparó con tolerancia nuevos hábitos sociales, en un afán permanente por evitar el conflicto. Se reveló solidario hasta ocupar el primer lugar mundial en donaciones para trasplantes. Y tuvo por fin su revolución nacional: el pueblo en la calle, unido, reclamando el derecho a vivir en paz y libertad contra la tiranía de una minoría opresora y cruel. Fueron los seis millones de españoles que se manifestaron en todo el país durante el mes de julio de 1997, tras el asesinato del joven concejal de Ermua (Vizcaya) Miguel Angel Blanco por ETA, el último rescoldo de la vieja España que casi todos han querido enterrar. Por eso tiene plena coherencia que la banda terrorista tenga que definirse a sí misma como una anti-España.

Desde esa perspectiva, los hitos de la historia de España en el siglo XX no coinciden siempre con los hechos que suelen destacarse. Para encontrar el primero de cuantos sentaron las bases de lo que iba a ser el resultado español de esos cien años hay que detenerse en 1959, cuando la tenacidad de los ministros de Hacienda y de Comercio, Mariano Navarro Rubio y Alberto Ullastres Calvo, logró el visto bueno de Franco al Plan de Estabilización, que supuso cambiar un rumbo iniciado casi sesenta años antes, en 1891, por el arancel de guerra de Antonio Cánovas del Castillo. En definitiva, sustituir el nacionalismo económico por la economía de mercado, proceso que continuó con el Acuerdo Preferencial suscrito en 1970 con la Comunidad Económica Europea, el ingreso en la Comunidad en 1986 y que culminó en 1998 con la participación de España en la Tercera Fase de la Unión Económica y Monetaria europea, con el euro como nueva moneda común. Forma parte de la belleza de la historia la circunstancia de que el profesor Ullastres asumiera los principios de la libertad económica tras leer, durante una convalecencia, a los clásicos del Siglo de Oro: los teólogos españoles de la Escuela de Salamanca que en los siglos XVI y XVII sentaron las bases teóricas y morales de lo que hoy se conoce como la economía de mercado.

El episodio fue más que una casualidad. Mostraba la compatibilidad entre las dos posiciones extremas que durante siglo y medio se habían enfrentado en el ruedo ibérico: la tradicionalista y la moderna. Ni la una ni la otra tenían que ser tan radicalmente distintas como a veces se proclamaron. En la España del año 2000 la cotización en euros resultaba compatible con las corridas de toros, la separación de la Iglesia y el Estado con las procesiones de Semana Santa, la profesionalización de las Fuerzas Armadas con los tricornios de la Guardia Civil, los socialistas con la Monarquía, la unidad nacional con las autonomías regionales, el turismo masivo con las costumbres populares, los Sanfermines con la apertura de fronteras.

Estas últimas, en efecto, han desaparecido con Francia y Portugal, sin que ello haya causado ningún problema de consideración. Con la pobreza, los españoles del año 2000 habían dejado atrás siglos de adustez, malhumor y desidia. Persistía, eso sí, el temperamento anárquico y alegre, así como una vitalidad cultural que fue la mayor desde el siglo XVII, reconocida con cinco premios Nobel de Literatura. Lo español, cuando llegaba el siglo XXI, continuaba siendo una de las formas más características de ser y de estar en el mundo, con un idioma hablado por cerca de 400 millones de personas y un país que, un siglo después del *Desastre*, volvía a mirar con fuerza a lo que fue su destino en la historia: América.

Miguel Platón

AYER Y HOY

Barcelona.
Vista de la Rambla de las
Flores a principios de siglo

Barcelona, 18-11-2000.
Vista de las Ramblas desde
el Llano de la Boquería.
(Foto: Toni Garriga)

Bilbao.
Vista general del Puente de
Vizcaya desde Portugalete

Bilbao, 24-11-2000.
*Vista panorámica del Puente
de Vizcaya desde
Portugalete.*
(Foto: Alfredo Aldai)

La Coruña.
Vista de los Cantones desde
Puerta Real a principios de
siglo

La Coruña, 5-12-2000.
Vista de los Cantones desde
Puerta Real

Madrid, año 1900.
Vista de la calle de Alcalá

Madrid, 22-11-2000.
*Vista general de la Plaza de
Cibeles y de la calle de Alcalá
con tráfico.* (Foto: Paco
Campos)

San Sebastián.
Vista del paseo de la Concha
a principios de siglo

San Sebastián, 23-11-2000.
Vista del paseo de la Concha.
(Foto: Juan Serrano)

Sevilla.
Paseo y puente de San Telmo en 1931. Al fondo, la iglesia del antiguo convento de Los Remedios, perteneciente a la Orden de Los Carmelitas Descalzos hasta la Desamortización

Sevilla, 4-12-2000.
*Vista del puente de San
Telmo. Al fondo, la iglesia del
antiguo convento de Los
Remedios (perteneciente a la
Orden de Los Carmelitas
Descalzos hasta la
Desamortización), en la
actualidad Museo de
Carruajes, y el barrio de los
Remedios*

Valencia.
*Vista de la fábrica de tabaco
de Valencia*

Valencia, 20-11-2000.
Vista de la antigua fábrica de
tabaco, actual sede del
Tribunal Superior de Justicia
de la Comunidad Valenciana.
(Foto: Juan Carlos Cárdenas)

RADIOGRAFÍA
DE UNA SOCIEDAD

EVOLUCIÓN DE LA POBLACIÓN ESPAÑOLA. MOVIMIENTO NATURAL DE LA POBLACIÓN

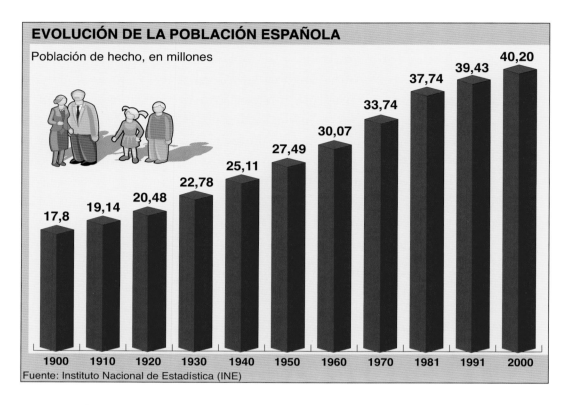

EVOLUCIÓN DE LA POBLACIÓN ESPAÑOLA

Población de hecho, en millones

1900	1910	1920	1930	1940	1950	1960	1970	1981	1991	2000
17,8	19,14	20,48	22,78	25,11	27,49	30,07	33,74	37,74	39,43	40,20

Fuente: Instituto Nacional de Estadística (INE)

MOVIMIENTO NATURAL DE LA POBLACIÓN

En número

Nacimientos: 628.000 (1900), 647.000 (1910), 623.000 (1920), 661.000 (1930), 628.000 (1940), 559.000 (1950), 655.000 (1960), 656.000 (1970), 571.000 (1980), 396.000 (1990), 377.809 (1999)

Defunciones: 537.000 (1900), 456.000 (1910), 494.000 (1920), 395.000 (1930), 425.000 (1940), 301.000 (1950), 262.000 (1960), 280.000 (1970), 289.000 (1980), 331.000 (1990), 370.423 (1999)

El año en que se registraron mayor número de nacimientos fue 1964, comienzo del I Plan de Desarrollo y conmemoración de los XXV años de paz, con 689.000 nacidos vivos. En términos relativos, sin embargo, el año de mayor natalidad fue 1903, con 685.000 nacidos vivos, equivalentes a 38 por 1.000 habitantes. La guerra civil redujo los nacimientos a sólo 420.000 en 1939: en la segunda mitad de los años 30 nacieron 376.000 niños menos que en la primera. La penuria de la posguerra hizo que las cifras no se recuperasen hasta finales de los años 50, aunque en términos relativos no se recuperaron nunca, debido a factores como la crisis de alojamientos y el progresivo control de la natalidad. El descenso de esta última en los años finales del siglo comenzó en la segunda mitad de los 70, en coincidencia con el fuerte aumento del paro, sobre todo entre los jóvenes.

Durante los años 90 el índice de natalidad cayó por debajo del 10 por 1.000, uno de los más bajos del mundo. En cuanto a las defunciones, el año más trágico fue 1918: ese año murieron 696.000 españoles, casi un cuarto de millón víctimas de la epidemia de gripe que asoló en particular la meseta norte. La guerra civil provocó una sobremortalidad que alcanzó su máximo en 1938 -unos 100.000 fallecimientos por encima de la cifra anterior al conflicto-, pero que se prolongó hasta los primeros años 40. La cifra mínima de defunciones fue 1961, con 256.000. A partir de los años 80 el envejecimiento de la población produjo un aumento del índice de mortalidad: cuando termina el siglo los nacimientos apenas si superan el número de los que mueren.

Fuente: Instituto Nacional de Estadística (INE)

Infografía EFE ©

Madrid.
Un matrimonio posa con quince de sus dieciseis hijos, de edades comprendidas entre los dieciocho años y los seis meses

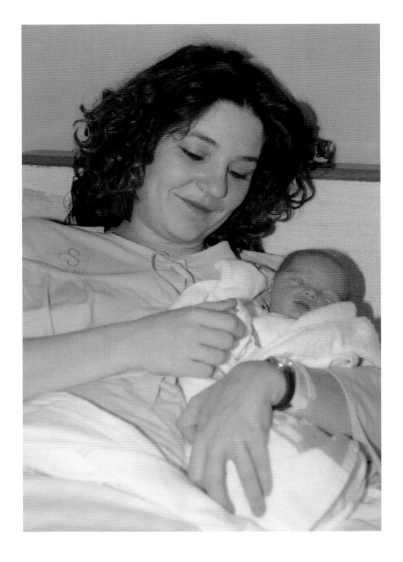

Madrid.
La primera niña del año 2000, nacida dos minutos después de las doce campanadas en el Hospital de la Paz.
(Foto: José Huesca)

INMIGRACIÓN NETA

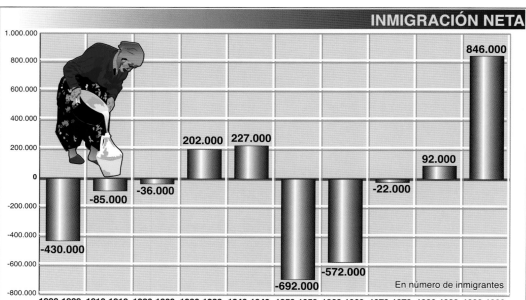

Durante la mayor parte del siglo España registró cifras negativas netas de inmigración, es decir, que el número de españoles que emigraron superó a la suma de los españoles que regresaron y los extranjeros que se instalaron en el territorio nacional.

La evolución de las cifras dependió de las circunstancias económicas de España y del resto del mundo. La fuerte reducción entre 1910 y 1930 se debió a la I Guerra Mundial -que aportó una inmigración neta de más de cien mil personas, procedentes sobre todo del resto de Europa - y la prosperidad económica de los años 20. La crisis de los años 30 -depresión económica- y de los 40 -Segunda Guerra

Mundial -cegó las posibilidades de obtener empleo en el exterior, y al mismo tiempo la neutralidad española volvió a convertir a España -como treinta años antes- en un lugar de destino. El largo ciclo de prosperidad centroeuropea comprendido entre el Plan Marshall de 1947 y la primera crisis del petróleo de 1973, volvió a convertir la emigración en una posibilidad atractiva, que en los años 50 y 60 se dirigió fundamentalmente a Europa, en lugar de la tradicional emigración a América. La crisis de los 70 redujo drásticamente la emigración y a partir de los 80, con los años de prosperidad que siguieron al ingreso en la Comunidad Económica Europea, España

en país receptor de inmigrantes. La tendencia se disparó en los 90, debido a la consolidación de la economía mundial y la grave crisis de la mayor parte de África y numerosos países de Iberoamérica, aunque también pesa en la estadística el creciente número de europeos del centro y el norte del continente que buscan vivir en el buen clima y el agradable entorno social que ofrece España. Al doblar el cabo del 2000, el futuro demográfico del país era similar al del resto de la Europa rica: una extraordinaria pluralidad de orígenes en un mundo más relacionado que nunca.

Fuente: Instituto Nacional de Estadística (INE)

Infografía EFE ©

Madrid.
Salida del primer contingente de trabajadores españoles hacia Bélgica, de acuerdo con el convenio hispano-belga el 23 de mayo de 1957. (Foto: Iglesias)

Almería.
Numerosos inmigrantes guardan cola al final del siglo ante una oficina de Extranjería de Almería para solicitar sus permisos de trabajo y residencia, ante la entrada en vigor del reglamento que desarrolla la Ley de Extranjería. (Foto: Jose M. Vidal)

ALUMNADO UNIVERSITARIO

ALUMNADO UNIVERSITARIO

Por tipo de carrera

Ciclo largo
Ciclo corto

44.932 48.860 73.443 75.065 100.465 119.174 152.542 158.939 170.602 243.541 346.027 468.526 657.447 788.168 1.093.086 1.440.259 1.581.415 1.540.596

1919-20 1924-25 1929-30 1934-35 1939-40 1944-45 1949-50 1954-55 1959-60 1964-65 1969-70 1974-75 1979-80 1984-85 1989-90 1994-95 1999-00 2000-01

Fuente: Ministerio de Educación y Cultura   En nº de alumnos.   Infografía EFE ©

Madrid.
Los estudiantes se manifiestan ante la sede de la Universidad Central en la calle de San Bernardo, durante la II República española

Madrid.
Numerosos alumnos esperan el inicio de las pruebas de acceso a la Universidad en la Comunidad de Madrid, en una de las aulas de la Facultad de Odontología de la Complutense. (Foto: Sergio Barrenechea)

TASA DE ALFABETIZACIÓN

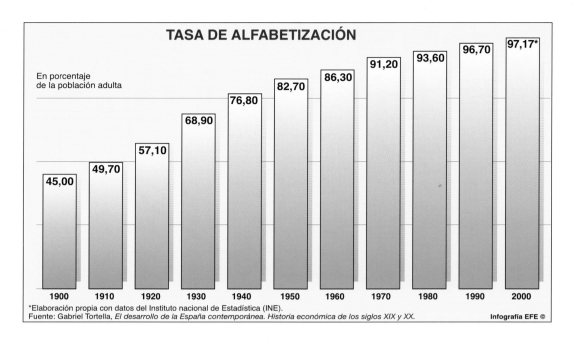

TASA DE ALFABETIZACIÓN

En porcentaje
de la población adulta

45,00	49,70	57,10	68,90	76,80	82,70	86,30	91,20	93,60	96,70	97,17*
1900	1910	1920	1930	1940	1950	1960	1970	1980	1990	2000

*Elaboración propia con datos del Instituto nacional de Estadística (INE).
Fuente: Gabriel Tortella, *El desarrollo de la España contemporánea. Historia económica de los siglos XIX y XX.*

Infografía EFE ©

Madrid.
*Clase en el grupo
escolar «Lope de Vega»
en 1935*

Puertollano
(Ciudad Real).
*Una anciana aprende a
leer en la Residencia de
mayores de Puertollano
en 1999.* (Foto: Manuel
Ruiz Toribio)

DESEMPLEO

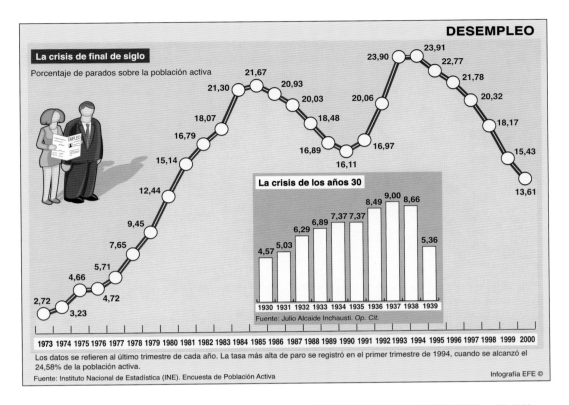

DESEMPLEO

La crisis de final de siglo

Porcentaje de parados sobre la población activa

2,72 — 3,23 — 4,66 — 4,72 — 5,71 — 7,65 — 9,45 — 12,44 — 15,14 — 16,79 — 18,07 — 21,30 — 21,67 — 20,93 — 20,03 — 18,48 — 16,89 — 16,11 — 16,97 — 20,06 — 23,90 — 23,91 — 22,77 — 21,78 — 20,32 — 18,17 — 15,43 — 13,61

La crisis de los años 30

1930	1931	1932	1933	1934	1935	1936	1937	1938	1939
4,57	5,03	6,29	6,89	7,37	7,37	8,49	9,00	8,66	5,36

Fuente: Julio Alcaide Inchausti. *Op. Cit.*

1973 1974 1975 1976 1977 1978 1979 1980 1981 1982 1983 1984 1985 1986 1987 1988 1989 1990 1991 1992 1993 1994 1995 1996 1997 1998 1999 2000

Los datos se refieren al último trimestre de cada año. La tasa más alta de paro se registró en el primer trimestre de 1994, cuando se alcanzó el 24,58% de la población activa.

Fuente: Instituto Nacional de Estadística (INE). Encuesta de Población Activa

Infografía EFE ©

Madrid.
Obreros en paro guardan cola ante un centro oficial, durante la II República española

Sevilla.
Más de un millar de trabajadores agrarios, encabezados por políticos y dirigentes sindicales, se manifiestan en octubre de 1999 en Sevilla para exigir el desempleo contributivo para los trabajadores eventuales del campo. (Foto: Eduardo Abab)

Renta familiar neta disponible per capita. Convergencia de la renta con la Unión Europea

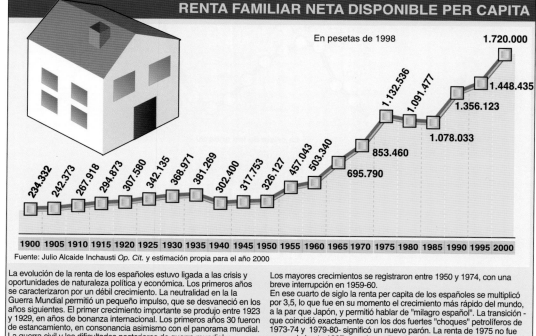

RENTA FAMILIAR NETA DISPONIBLE PER CAPITA

En pesetas de 1998

Año	Valor
1900	234.332
1905	242.373
1910	267.918
1915	294.873
1920	307.580
1925	342.135
1930	368.971
1935	381.269
1940	302.400
1945	317.753
1950	326.127
1955	457.043
1960	503.340
1965	695.790
1970	853.460
1975	1.132.536
1980	1.091.477
1985	1.078.033
1990	1.356.123
1995	1.448.435
2000	1.720.000

Fuente: Julio Alcaide Inchausti *Op. Cit.* y estimación propia para el año 2000

La evolución de la renta de los españoles estuvo ligada a las crisis y oportunidades de naturaleza política y económica. Los primeros años se caracterizaron por un débil crecimiento. La neutralidad en la la Guerra Mundial permitió un pequeño impulso, que se desvaneció en los años siguientes. El primer crecimiento importante se produjo entre 1923 y 1929, en años de bonanza internacional. Los primeros años 30 fueron de estancamiento, en consonancia asimismo con el panorama mundial. La guerra civil y las dificultades posteriores de guerra mundial y posguerra tuvieron efectos devastadores: la renta máxima anterior al conflicto -387.465 pesetas en 1934- sufrió un deterioro de hasta el 25 por 100 (el mínimo, en 1948, fue de 292.128 pesetas, renta similar a la de 1914) y no fue superada hasta 1953, lo que supone casi veinte años perdidos.

Los mayores crecimientos se registraron entre 1950 y 1974, con una breve interrupción en 1959-60.
En ese cuarto de siglo la renta per capita de los españoles se multiplicó por 3,5, lo que fue en su momento el crecimiento más rápido del mundo, a la par que Japón, y permitió hablar de "milagro español". La transición - que coincidió exactamente con los dos fuertes "choques" petrolíferos de 1973-74 y 1979-80- significó un nuevo parón. La renta de 1975 no fue superada hasta 1987, tras doce años de estancamiento. El fuerte aumento de finales de los 80 -tras el ingreso en la Comunidad Económica Europea- sufrió un desfallecimiento en 1993-94, pero se recuperó a partir de 1995. La renta de los españoles del año 2000 es siete veces superior que la de sus bisabuelos en 1900.

Infografía EFE ©

Madrid.
Un niño vende verduras por la calle en 1923

Convergencia de la renta con la Unión Europea

(Media de la UE 15 =100)

58,34
66,8
72,35
75,27
81,39
73,04
71,57
73,72
79,07
79,17
83,17*

Año '59 '63 '67 '71 '75 '79 '83 '87 '91 '95 '99

Fuente: Fundación BBV-Renta nacional de España   *Estimación.   Infografía: EFE ©

Roda de Bará (Tarragona).
Retenciones de tráfico en la A-7, a la altura del kilómetro 222. (Foto: Jaume Sellart)

TIPO DE CAMBIO DE PESETA

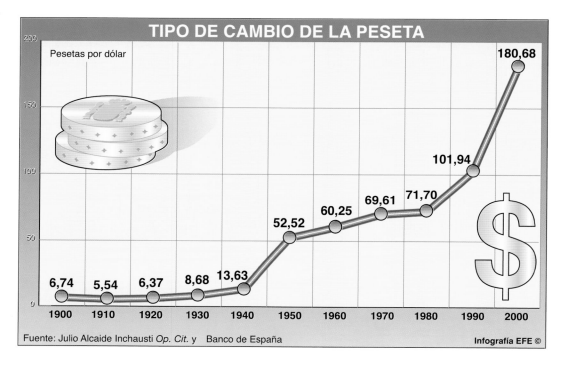

TIPO DE CAMBIO DE LA PESETA

Pesetas por dólar

6,74 — 5,54 — 6,37 — 8,68 — 13,63 — 52,52 — 60,25 — 69,61 — 71,70 — 101,94 — 180,68

1900 1910 1920 1930 1940 1950 1960 1970 1980 1990 2000

Fuente: Julio Alcaide Inchausti *Op. Cit.* y Banco de España

Infografía EFE ©

Madrid.
Billetes de Banco de valor inferior a las cien pesetas

Madrid.
El panel principal de la Bolsa de Madrid muestra la cotización definitiva del euro, nueva unidad de cuenta del sistema monetario europeo.
(Foto: Kote Rodrigo)

GRADO DE APERTURA DEL COMERCIO EXTERIOR

GRADO DE APERTURA DEL COMERCIO EXTERIOR

Suma de importaciones y exportaciones (en porcentaje del PIB)

- 16,19 — 1898
- 20,87 — 1930
- 11,65 — 1935
- 5,43 — 1940
- 10,82 — 1955
- 21,66 — 1975
- 28,69 — 1990
- 42,69 — 1998

La crisis iniciada en 1930, a causa del "amurallamiento" arancelario posterior al *crac* de la Bolsa norteamericana de octubre de 1929, y continuada luego con la Segunda Guerra Mundial y la política económica autárquica que practicó España hasta 1959, tuvieron como efecto que el grado de apertura de 1930 no volviera a ser igualado hasta 1973. El Plan de Estabilización de 1959, el Acuerdo Preferencial con la Comunidad Económica Europea de 1970 y, sobre todo, el ingreso en esta última suscrito en 1985, impulsaron durante la segunda mitad del siglo la internacionalización de la economía española, que llega al año 2000 con un grado de apertura próximo al 50 por ciento del PIB.

Fuente: Julio Alcaide Inchausti. *1900-2000. Historia de un esfuerzo colectivo*

Infografía EFE ©

Málaga.
Toneles con diez mil kilos de aceitunas preparados para su envío a Estados Unidos

Valencia.
Exportación en 1999 a Japón de automóviles Ford Ka, fabricados en la factoría de Almussafes (Valencia).
(Foto: Manuel Bruque)

LÍNEAS TELEFÓNICAS EN SERVICIO EN ESPAÑA

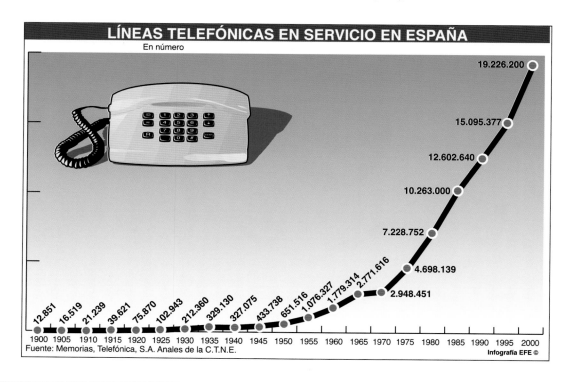

LÍNEAS TELEFÓNICAS EN SERVICIO EN ESPAÑA

En número

19.226.200

15.095.377

12.602.640

10.263.000

7.228.752

4.698.139

2.771.616

2.948.451

12.851 16.519 21.239 39.621 75.870 102.943 212.360 329.130 327.075 433.738 651.516 1.076.327 1.779.314

1900 1905 1910 1915 1920 1925 1930 1935 1940 1945 1950 1955 1960 1965 1970 1975 1980 1985 1990 1995 2000

Fuente: Memorias, Telefónica, S.A. Anales de la C.T.N.E.

Infografía EFE ©

Madrid.
Inauguración del servicio telefónico con Estados Unidos en 1946

Madrid.
Unas jóvenes utilizan sus teléfonos móviles para hablar mientras caminan por una calle de la ciudad en 2000. (Foto: José Huesca)

PASAJEROS AÉREOS EN ESPAÑA

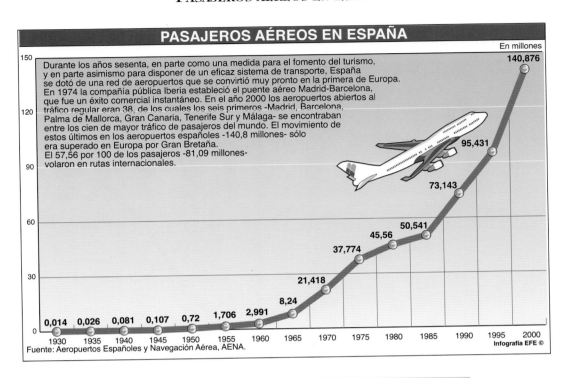

PASAJEROS AÉREOS EN ESPAÑA

En millones

Durante los años sesenta, en parte como una medida para el fomento del turismo, y en parte asimismo para disponer de un eficaz sistema de transporte, España se dotó de una red de aeropuertos que se convirtió muy pronto en la primera de Europa. En 1974 la compañía pública Iberia estableció el puente aéreo Madrid-Barcelona, que fue un éxito comercial instantáneo. En el año 2000 los aeropuertos abiertos al tráfico regular eran 38, de los cuales los seis primeros -Madrid, Barcelona, Palma de Mallorca, Gran Canaria, Tenerife Sur y Málaga- se encontraban entre los cien de mayor tráfico de pasajeros del mundo. El movimiento de estos últimos en los aeropuertos españoles -140,8 millones- sólo era superado en Europa por Gran Bretaña.
El 57,56 por 100 de los pasajeros -81,09 millones- volaron en rutas internacionales.

140,876
95,431
73,143
50,541
45,56
37,774
21,418
8,24
2,991
1,706
0,72
0,107
0,081
0,026
0,014

1930 1935 1940 1945 1950 1955 1960 1965 1970 1975 1980 1985 1990 1995 2000

Fuente: Aeropuertos Españoles y Navegación Aérea, AENA.

Infografía EFE ©

Madrid.
Primer avión trimotor Rohrbarch-Roland, con capacidad para diez pasajeros, que voló con el nombre de Iberia. Realizó el vuelo Madrid-Barcelona en tres horas y media el 27 de diciembre de 1927

Bilbao.
Entra en servicio el 19 de noviembre de 2000 la nueva terminal del aeropuerto de Bilbao, obra del arquitecto Santiago Calatrava. (Foto: Txema Fernández)

PRODUCCIÓN DE ELECTRICIDAD

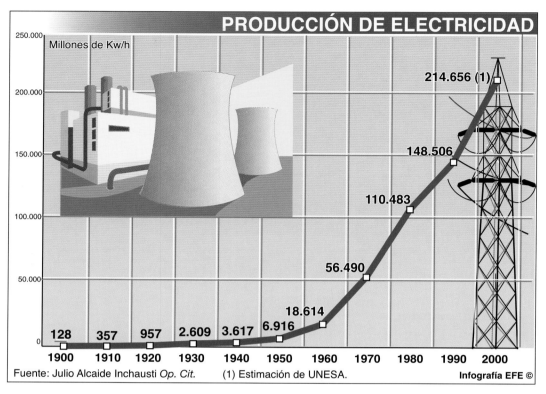

Fuente: Julio Alcaide Inchausti *Op. Cit.*   (1) Estimación de UNESA.   **Infografía EFE ©**

Ponferrada (León).
Inauguración de la central térmica de Compostilla en 1949.
Vista de la presa

Guadalajara.
Planta nuclear de Trillo, en el año 2000.
(Foto: Gustavo Cuevas)

TURISMO

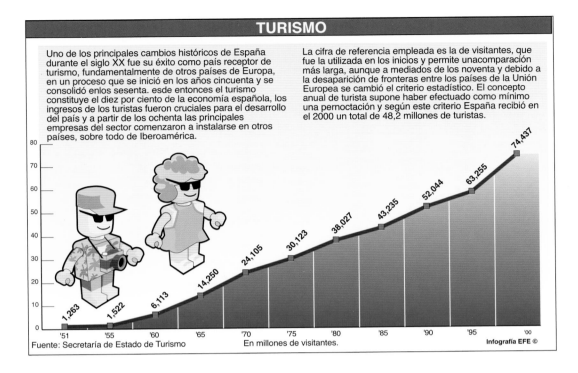

TURISMO

Uno de los principales cambios históricos de España durante el siglo XX fue su éxito como país receptor de turismo, fundamentalmente de otros países de Europa, en un proceso que se inició en los años cincuenta y se consolidó enlos sesenta. esde entonces el turismo constituye el diez por ciento de la economía española, los ingresos de los turistas fueron cruciales para el desarrollo del país y a partir de los ochenta las principales empresas del sector comenzaron a instalarse en otros países, sobre todo de Iberoamérica.

La cifra de referencia empleada es la de visitantes, que fue la utilizada en los inicios y permite unacomparación más larga, aunque a mediados de los noventa y debido a la desaparición de fronteras entre los países de la Unión Europea se cambió el criterio estadístico. El concepto anual de turista supone haber efectuado como mínimo una pernoctación y según este criterio España recibió en el 2000 un total de 48,2 millones de turistas.

Fuente: Secretaría de Estado de Turismo — En millones de visitantes. — Infografía EFE ©

Valores del gráfico: '51 1,263 · '55 1,522 · '60 6,113 · '65 14,250 · '70 24,105 · '75 30,123 · '80 38,027 · '85 43,235 · '90 52,044 · '95 63,255 · '00 74,437

Madrid.
Ceremonia de bienvenida al turista un millón el 1 de octubre de 1963

San Sebastián.
La Playa de la Concha llena de bañistas en el verano de 1997.
(Foto: Antonio Alonso)

ELECCIONES GENERALES EN ESPAÑA

Elecciones Generales en España

Escaños en el Congreso por años

	1977	1979	1982	1986	1989	1993	1996	2000
UCD	166	168	12					
PSOE*	118	122	202	184	175	159	141	125
PP***	16	9	106	105	107	141	156	183
IU**	20	23	4	7	17	18	21	8
CDS			2	19	14	0		
CIU	13	8	12	18	18	17	16	15
EAJ-PNV	8	7	8	6	5	5	5	7
HB		3	2	5	4	2	2	
BNG				0	0	0	2	3
PSA/PA	0	5	0	0	2	0	0	1
CC						4	4	4

* Incluye los resultados electorales del Partit dels Socialistes de Catalunya (PSC-PSOE).
** Incluye a Iniciativa per Catalunya-Els Verds (IC-EV).
*** Incluye los resultados del PP-Partido Aragonés (PAR) y PP y Unión del Pueblo Navarro.

Infografía EFE ©

UCD (Unión de Centro Democrático).
PSOE (Partido Socialista Obrero Español).
PP (Partido Popular).
 -1977 AP (Alianza Popular).
 -1979 CD (Coalición Democrática).
 -1982 País Vasco se presentó como coalición AP-PDP-UCD, resto España coalición AP-PDP-UL.
 -1986 Coalición Popular.
 -A partir 1989 se presenta como PP.
 -Desde 1993 se presenta en Navarra como UPN-PP.
 -1996 En Aragón PP-Partido Aragonés (PAR).
IU (Izquierda Unida).
 -1977, 1979, 1982 se presenta como Partido Comunista de España (PCE).
 -1986 en adelante como Izquierda Unida (IU).
CDS (Centro Democrático y Social).
CIU (Convergencia i Unió es una coalición formada por Convergencia Democrática de Catalunya (CDC) y Unió Democrática de Catalunya (UDC).
 -1977 Los dos grupos se presentan por separado y, en los dos casos, formando coalición con otros grupos; CDC formó el llamado Pacte Democratic per Catalunya (PDC), integrado por Esquerra Democrática de Catalunya y el Partido Socialista de Cataluña (Reagrupament). Obtuvo 11 diputados; UDC se presentó como la coalición Unión del Centro y de la Democracia Cristiana de Cataluña. Obtuvo dos diputados.
PNV (Partido Nacionalista Vasco).
HB (Herri Batasuna).
PSA/PA (Partido Socialista de Andalucía/Partido Andalucista).
 -1979 y 1982 se presenta como PSA.
 -1986 en adelante como PA.
CC (Coalición Canaria) está formada por Centro Canario, Iniciativa Canaria (ICAN), Asamblea Majorera (AM) y Agrupaciones Independientes de Canarias (AIC), a su vez integrada por siete grupos políticos.
BNG (Bloque Nacionalista Galego). *Hasta la elecciones de 1996 no obtiene escaños.*

Evolución de los escaños del Congreso por partidos

Madrid.
El Rey Alfonso XIII pronuncia el discurso de apertura de la nueva Cámara de Representantes en presencia de la Reina Victoria Eugenia y altas personalidades del país

Madrid.
El presidente del Gobierno, Adolfo Suárez, vota para elegir a los representantes en las nuevas Cortes constituyentes el 15 de junio de 1977

LAS VÍCTIMAS DEL TERRORISMO

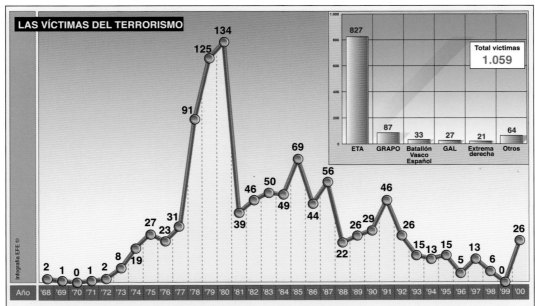

LAS VÍCTIMAS DEL TERRORISMO

Total víctimas 1.059

ETA	GRAPO	Batallón Vasco Español	GAL	Extrema derecha	Otros
827	87	33	27	21	64

Infografía EFE ©

a. En esta relación no están incluidas las 78 víctimas del incendio en el hotel Corona de Aragón de Zaragoza, que la Asociación Víctimas del Terrorismo atribuye a ETA, aunque Interior nunca ha informado oficialmente de que el fuego fuera causado por un atentado.

b. Las 18 personas que murieron por la explosión de una bomba en el restaurante El Descanso de Madrid, atribuida por el Ministerio del Interior a Yihad Islámica, sí están incluidas en la relación. Algunos medios atribuyeron el suceso a una explosión de gas.

c. Al menos otras 125 personas pertenecientes a diversos grupos terroristas han muerto por la explosión de bombas o enfrentamientos con las fuerzas de seguridad. Ciento cuatro de los fallecidos estaban supuestamente vinculados a ETA.

Vitoria.
ETA asesina el 22 de febrero de 2000 con un coche bomba al secretario general del PSE-EE en Álava, Fernado Buesa, y a su escolta, un agente de la Ertzaintza. (Foto: David Aguilar)

San Sebastián.
Multitudinaria manifestación contra el terrorismo convocada por la iniciativa ciudadana «Basta ya» el 23 de septiembre de 2000. (Foto: Juan Herrero)

Índice onomástico